Guerre et mondialisation

MICHEL CHOSSUDOVSKY

À Julien,

[signature]

Guerre et mondialisation

La vérité derrière le 11 septembre

Traduit de l'anglais par Lise Roy-Castonguay

[signature] de Hengfield, 13/02/03

LES ÉDITIONS
écosociété
MONTRÉAL

Avec la collaboration du Centre de recherche sur la mondialisation (CRM), <www.globalresearch.ca>

Traduction : Lise Roy-Castonguay
Révision : Marie-Claude Rochon
Typographie : Sébastien Bouchard
Illustration de la couverture : Dave Landry
Coordination de la production : Marie-Claude Rochon
Maquette de la couverture : Nicolas Calvé

Titre original :
War and Globalization. The truth behind September 11th
© Michel Chossudovsky, 2002

Pour l'édition française :
© Michel Chossudovsky, 2002
© Les Éditions Écosociété, 2002
C.P. 32052, comptoir Saint-André
Montréal (Québec) H2L 4Y5

Dépôt légal : 3ᵉ trimestre 2002
ISBN 2-921561-77-8

Données de catalogage avant publication (Canada)

Chossudovsky, Michel

  Guerre et mondialisation : la vérité derrière le 11 septembre

  Traduction de : War and globalization.
  Comprend des réf. bibliogr.

  ISBN 2-921561-77-8

1. Terrorisme - Prévention. 2. Attentats du 11 septembre 2001, États-Unis. 3. États-Unis - Relations extérieures - 2001-   . 4. États-Unis - Histoire militaire - 21ᵉ siècle. I. Titre.

HV6431.C4614 2002   363.3'2   C2002-941343-5

Nous remercions le Conseil des Arts du Canada de l'aide accordée à notre programme de publication. Nous reconnaissons l'aide financière du gouvernement du Canada par l'entremise du Programme d'aide au développement de l'industrie de l'édition (PADIE) pour nos activités d'édition. Nous remercions le gouvernement du Québec pour son programme de crédits d'impôt à l'édition de livres. Nous remercions enfin la SODEC pour son soutien financier.

TABLE DES MATIÈRES

Chapitre VI
Le pipeline transafghan

Chapitre premier

Vue d'ensemble : la vérité derrière le 11 septembre

Voici le monde plongé dans la crise la plus grave de l'histoire des temps modernes. Dans la foulée des événements tragiques du 11 septembre, les États-Unis se sont embarqués, par le déploiement d'une force armée d'une ampleur sans précédent depuis la Seconde Guerre mondiale, dans une aventure militaire qui met en péril l'avenir de l'humanité.

Quelques heures à peine après les attentats terroristes contre le World Trade Centre et le Pentagone, Oussama ben Laden et son réseau al-Qaïda étaient — sans preuve à l'appui — déclarés « suspects numéro un » par l'administration Bush. Le secrétaire d'État Colin Powell assimilait les attentats à un « *acte de guerre* » et le président George W. Bush confirmait le soir même, dans son discours télévisé à la nation, qu'il ne ferait « *aucune distinction entre les terroristes ayant commis cette agression et ceux [les gouvernements étrangers] qui les hébergent* ». L'ancien directeur de la Central Intelligence Agency (CIA), James Woolsey, pointait du doigt les « États responsables », soulignant ainsi la complicité possible d'un ou de plusieurs gouvernements étrangers. Quant à l'ancien conseiller en matière de sécurité nationale, Lawrence Eagleburger, il affirmait : « Je crois que nous allons leur montrer que, quand on nous agresse, nous sommes capables d'exercer une force et d'infliger un châtiment sans merci[1]. »

Reprenant à leur compte les déclarations officielles, les médias occidentaux approuvaient entre-temps le déclenchement d'« actions punitives » contre des cibles civiles en Asie centrale et au Moyen-Orient. William Saffire s'exprimait en ces mots dans le *New York Times* : « Lorsque nous aurons raisonnablement établi où se trouvent les bases et les camps de nos agresseurs, nous devrons les pulvériser — minimisant tout en les acceptant les risques de dommages collatéraux — et agir ouvertement ou sous couvert pour déstabiliser les hôtes nationaux de la terreur[2]. » C'est ainsi que, en se servant des médias américains, l'administration Bush préparait le monde occidental au massacre sans pitié de milliers de civils innocents.

Oussama ben Laden :
un prétexte pour faire la guerre

La prétendue « guerre au terrorisme » fut utilisée d'emblée par l'administration Bush comme moyen commode non seulement pour justifier l'intense bombardement de cibles civiles en Afghanistan mais aussi pour abroger des droits constitutionnels et la primauté du droit dans le contexte de la « guerre intérieure » contre le terrorisme.

Il s'avère que le principal suspect des attentats terroristes de New York et de Washington, le Saoudien Oussama ben Laden, est une création de la politique étrangère américaine. Il fut recruté durant la guerre menée par les Soviétiques en Afghanistan « ironiquement sous les auspices de la CIA pour lutter contre l'envahisseur soviétique ». Ainsi que le confirme amplement notre analyse des chapitres 2, 3 et 4, le réseau al-Qaïda d'Oussama ben Laden constitue pour la CIA un « instrument du renseignement[*] ».

Pendant mais aussi après la guerre froide — par l'entremise de l'appareil des services de renseignements militaires du Pakistan — la CIA a joué un rôle clé dans l'entraînement des moudjahidines. L'entraînement à la guérilla, parrainé par la CIA, a ensuite été intégré aux enseignements de l'islam. Les liens entre ben Laden et l'administration Clinton en Bosnie et au Kosovo ont été largement documentés dans les dossiers du Congrès. (Voir le Chapitre IV.)

Quelques mois après les attentats, le secrétaire à la Défense Rumsfeld a admis qu'il serait difficile de trouver Oussama et de le faire extrader : ce serait comme « chercher une aiguille dans une botte de foin ». Or, les États-Unis auraient pu à maintes reprises procéder

---

[*]   N.D.T. : Le terme anglais « *intelligence asset* » a été rendu en français dans cet ouvrage par « instrument du renseignement ».

à son arrestation et à son extradition avant les attentats du 11 septembre. Ben Laden, le «fugitif le plus recherché par l'Amérique», se trouvait deux mois auparavant à l'Hôpital américain de Dubaï (dans les Émirats arabes unis) où il se faisait soigner pour une affection rénale chronique (voir l'encadré 1.1). Si les autorités américaines avaient voulu arrêter Oussama ben Laden avant le 11 septembre, ils auraient pu le faire. Mais ils n'auraient pas disposé alors du prétexte pour lancer leur vaste opération militaire en Asie centrale.

Encadré 1.1

Juillet 2001 : Oussama ben Laden à l'Hôpital américain de Dubaï, Émirats arabes unis

«Dubaï, l'un des sept émirats de la fédération des Émirats arabes unis, au nord-est d'Abu Dhabi. Cette ville de 350 000 habitants a été le théâtre discret d'une rencontre secrète entre Oussama ben Laden et le représentant de la CIA sur place, en juillet. Un homme, partenaire professionnel de la direction administrative de l'Hôpital américain de Dubaï, affirme que l'ennemi public numéro un a séjourné dans cet établissement hospitalier du 4 au 14 juillet.

«Durant son hospitalisation, Oussama ben Laden a reçu la visite de plusieurs membres de sa famille, de personnalités saoudiennes et émiraties. Au cours de ce même séjour, le représentant local

➤

de la CIA, que beaucoup de gens connaissent à Dubaï, a été vu empruntant l'ascenseur principal de l'hôpital pour se rendre dans la chambre d'Oussama ben Laden.

« Quelques jours plus tard, l'homme de la CIA se vante devant quelques amis d'avoir rendu visite au milliardaire saoudien. De sources autorisées, l'agent de la CIA a été rappelé par sa centrale le 15 juillet, au lendemain du départ de ben Laden pour Quetta.

« Poursuivant ses investigations, le FBI découvre des "montages" que la CIA avait développés avec ses "amis islamistes" depuis des années. La rencontre de Dubaï ne serait donc que la suite logique d'une "certaine politique américaine" [3]. »

Ben Laden hospitalisé de nouveau le 10 septembre : courtoisie cette fois de l'allié des États-Unis (le Pakistan)

Le 10 septembre, veille des attentats terroristes contre le World Trade Centre et le Pentagone, Oussama ben Laden subissait une dialyse dans un hôpital militaire pakistanais [4].

Les Services de renseignements militaires du Pakistan (Inter-Services Intelligence, ISI) ont déclaré au réseau CBS que ben Laden s'était fait soigner dans un hôpital militaire à Rawalpindi, au quartier général de l'armée pakistanaise. « Selon une infirmière, le service d'urologie aurait remplacé son

> personnel régulier par un autre groupe d'employés médicaux. Il s'agissait de traiter une " personnalité de marque " d'après l'infirmière qui n'a pas voulu s'identifier. »
>
> Fait à signaler, l'hôpital relève des forces armées pakistanaises qui entretiennent des liens étroits avec le Pentagone. Des conseillers militaires américains affectés à Rawalpindi collaborent de près avec les militaires pakistanais. Aucun effort n'a alors été fait pour arrêter l'ennemi numéro un des États-Unis.

Les États-Unis ont soutenu les talibans

Alors que les médias occidentaux répètent le mantra de l'administration Bush qui fait des talibans et du réseau al-Qaïda d'Oussama ben Laden « l'incarnation du mal », ils se gardent bien de mentionner que *l'arrivée des talibans au pouvoir en Afghanistan en 1996 s'est faite grâce à l'aide militaire américaine, canalisée vers les combattants talibans et d'al-Qaïda par l'entremise de l'ISI*. Le *Jane Defense Weekly* confirme que « la moitié de l'effectif et du matériel des talibans provenait du Pakistan par l'intermédiaire de l'ISI[5] ».

Appuyée par l'ISI, l'imposition par les talibans radicaux d'un État islamique répondait aux intérêts géopolitiques américains. L'intention cachée de l'aide américaine aux talibans est liée au pétrole, car ceux-ci n'avaient pas aussitôt pris Kaboul et formé un gouvernement qu'une délégation était dépêchée à Houston (Texas) pour y rencontrer des représentants d'Uno-cal Corporation au sujet de la construction d'un gazoduc stratégique transafghan. (Voir les détails au Chapitre VI.)

Le plus vaste déploiement militaire depuis la Seconde Guerre mondiale

Présenté à l'opinion publique comme « *une campagne contre le terrorisme international* », le déploiement de la machine de guerre américaine vise à étendre la sphère d'influence des États-Unis non seulement en Asie centrale et au Moyen-Orient mais encore à l'ensemble du sous-continent indien et de l'Extrême-Orient. Les États-Unis tiennent à établir une présence militaire permanente en Afghanistan, pays qui occupe une position stratégique à la frontière de l'ancienne Union soviétique, de la Chine et de l'Iran. L'Afghanistan est également au centre de cinq puissances nucléaires : la Russie, la Chine, l'Inde, le Pakistan et le Kazakhstan. À cet égard, l'administration Bush a en outre saisi l'occasion d'utiliser la prétendue « guerre au terrorisme » pour installer des bases militaires américaines dans plusieurs des anciennes républiques soviétiques dont l'Ouzbékistan, le Kazakhstan, le Tadjikistan et le Kirghizstan. (Voir le Chapitre VI.)

Un État autoritaire

Sous l'administration Bush, l'appareil militaire et du renseignement (CIA) s'est bel et bien emparé des rênes de la politique étrangère, avec l'appui de Wall Street. Avec la prise à huis clos des décisions clés de nature politique par la CIA et le Pentagone, les « institutions politiques civiles », y compris le Congrès américain, servent de plus en plus de façade. Alors que l'opinion publique se donne l'illusion d'une « démocratie fonctionnelle », le président des États-Unis est devenu un simple agent de relations publiques manifestement peu au courant des enjeux de la politique étrangère :

> [...] En de trop nombreuses occasions, surtout lorsqu'il s'agit d'affaires internationales, Bush donne souvent l'impression de se faire souffler les réponses. Quand il ose aborder des questions internationales, son inexpérience est palpable et son énorme confiance en soi ne peut l'empêcher de commettre des erreurs[6].

Interrogé par un journaliste au sujet des talibans pendant la campagne électorale de 2000, le gouverneur Bush

> a simplement haussé les épaules, perplexe. Avec un peu d'aide de la part du journaliste (« discrimination contre les femmes en Afghanistan »), Bush s'anime : « Les talibans en Afghanistan ! Bien sûr. Des représailles. Je pensais que vous vouliez parler d'un groupe rock. » Voilà à quel point l'éventuel président des États-Unis est bien informé sur le reste du monde. [Il s'avère que ces défaillances du président sont visibles] même sur les grandes questions de la politique étrangère qui sont sur toutes les lèvres de quiconque prétend être le moindrement cultivé ; des questions dont il devra, s'il est élu, se préoccuper[7]. La déclaration de George W. Bush sur les talibans a été faite à un correspondant de *Glamor*.

Commentée dans de nombreux journaux à l'extérieur des États-Unis, elle fut à peine mentionnée dans les médias américains[8].

Qui décide à Washington? Dans le contexte d'une vaste opération militaire qui met en jeu notre avenir collectif et la sécurité mondiale — sans mentionner le recours « de première frappe » aux armes nucléaires, cette question est d'une importance capitale. Autrement dit, à part le fait de pouvoir lire les discours rédigés à son intention, le président jouit-il d'un véritable pouvoir politique ou n'est-il qu'un simple instrument des autorités militaires et des services de renseignements (CIA)?

Les planificateurs militaires mènent le bal

En vertu du « Nouvel Ordre mondial », ce sont les planificateurs militaires du département d'État, du Pentagone et de la CIA qui mènent le bal de la politique étrangère. Ils sont en liaison non seulement avec l'Organisation du traité de l'Atlantique Nord (OTAN) mais avec les responsables du Fonds monétaire international (FMI), de la Banque mondiale et de l'Organisation mondiale du commerce (OMC). La bureaucratie financière internationale qui siège à Washington et ordonne l'application d'une « médecine économique » de cheval pour les pays du tiers-monde et la plupart des pays de l'ancien Bloc soviétique, maintient à son tour des relations étroites avec l'*establishment* financier de Wall Street.

Les puissances sur lesquelles repose ce système sont celles des banques et des institutions financières mondiales, du complexe militaro-industriel, des géants du pétrole et de l'énergie, des conglomérats biotechnologiques ainsi que des grands médias et des géants de la communication qui fabriquent les nouvelles et qui, en déformant effrontément la vérité, influent sur le cours des événements mondiaux.

La « criminalisation » de l'appareil d'État américain

Sous l'administration Reagan, des hauts responsables du département d'État ont utilisé les narcodollars pour financer l'approvisionnement des Contras du Nicaragua en armement. L'ironie du sort veut que ces mêmes hauts responsables impliqués dans le scandale Irangate, occupent aujourd'hui des postes clés au sein du Cabinet restreint de l'administration Bush.

Ces mêmes hauts responsables du Irangate ont la main haute sur la planification quotidienne de la prétendue « guerre au terrorisme ». Richard Armitage (qui détient maintenant le poste de sous-secrétaire d'État dans l'administration Bush) « avait collaboré de près avec Oliver North et a été mis en cause dans le scandale de la contrebande d'armes à l'Iran en faveur des Contras[9] » :

> Bush est allé fouiller dans les recoins les plus sombres de l'écurie républicaine pour y choisir des individus qui, dans les années 1980, ont participé à l'achat d'armes à l'Iran destinées aux Contras. Sa première nomination de cet ordre, celle de Richard Armitage à titre de sous-secrétaire d'État, fut rapi-

dement entérinée au Sénat [...]. Armitage avait servi sous Reagan comme sous-secrétaire d'État à la Défense en matière de sécurité internationale, mais une autre affectation au Cabinet de Bush père en 1989 fut retirée avant audience à cause de la controverse Iran-Contras et de divers autres scandales. Bush a fait suivre la nomination d'Armitage par celle de celui qui a été sous-secrétaire d'État sous Reagan, Elliot Abrams, au poste de directeur principal du Conseil national de sécurité pour la démocratie, les droits de la personne et les opérations internationales, poste qui n'exige pas l'approbation sénatoriale. Abrams avait été reconnu coupable de deux accusations de délit pour avoir menti au Congrès lors des audiences sur l'affaire de l'Iran et des Contras, ce pourquoi il a obtenu par la suite le pardon de George H. W. Bush [10].

Richard Armitage a également été l'un des principaux architectes de l'aide en sous-main apportée aux moudjahidines et à la « base militante islamiste » tant pendant la guerre soviéto-afghane qu'au lendemain de la guerre froide. Le recours au narcotrafic du Croissant d'or (dont l'axe principal se situe en Afghanistan) comme moyen de financement des opérations subversives de la CIA n'a pas connu de changement fondamental depuis la fin de la guerre soviéto-afghane en 1989. (Voir le Chapitre II.) Il constitue toujours une composante de la politique étrangère des États-Unis. Sans compter que ce commerce, qui rapporte des milliards de dollars, a mené à l'accumulation de sources de financement illicites par la CIA [11].

L'abolition de la primauté du droit

Depuis le 11 septembre, les ressources de l'État ont été réorientées vers le financement du complexe militaro-industriel tandis que le budget alloué aux programmes sociaux fut comprimé. Les crédits de l'État ont été réaffectés et le revenu fiscal a été canalisé vers le renforcement de l'appareil policier et de la sécurité intérieure. Il en est résulté une « nouvelle légitimité » qui menace les fondements du système judiciaire tout en abolissant la « primauté du droit ». Fait ironique, dans de nombreux pays occidentaux dont les États-Unis, la Grande-Bretagne et le Canada, ces mesures visant l'abolition de la démocratie furent adoptées par un appareil législatif élu démocratiquement.

Cette nouvelle législation n'a pas pour but de « protéger les citoyens contre le terrorisme ». Elle tend surtout à maintenir et à protéger le système du « libre marché ». Elle vise plutôt à ébranler les coalitions contre la guerre et pour la défense des libertés civiles de même qu'à contenir le mouvement antimondialisation. Avec une économie civile en chute libre, la « sécurité du territoire » et le complexe militaro-industriel constituent les nouveaux pôles de croissance de l'économie américaine.

La législation « antiterroriste »

Aux États-Unis, la loi dite « *Patriot Act* » criminalise les manifestations pacifiques contre la mondialisation. Ainsi, toute protestation contre le FMI ou l'OMC est tenue comme un « crime de terrorisme national ». En vertu de cette loi, le « terrorisme national » comprend toute activité susceptible « d'influencer la politique d'un gouvernement par l'intimidation ou la coercition » : par exemple, « une manifestation qui aurait bloqué une rue et empêché une ambulance de circuler pourrait être assimilée à du terrorisme national [...] Dans l'ensemble, la nouvelle loi représente l'une des atteintes aux droits civils les plus significatives des 50 dernières années. Elle est peu susceptible d'accroître notre sécurité mais elle va à coup sûr réduire notre liberté[12] ».

Aux États-Unis, la « loi antiterroriste » adoptée en vitesse par le Congrès n'émane pas du processus législatif, mais plutôt de l'*establishment* militaire et policier intégré à l'appareil du renseignement de la CIA. En réalité, bon nombre de ses dispositions avaient été arrêtées avant les attentats terroristes du 11 septembre, en réaction au mouvement antimondialisation.

En novembre 2001, le président George W. Bush signait un décret visant à créer des « commissions ou tribunaux militaires pour juger les présumés terroristes[13] ».

> Aux termes de ce décret, les personnes des États-Unis ou d'ailleurs qui n'ont pas la citoyenneté et sont accusées d'aider le terrorisme international peuvent, à la discrétion du président, être jugées devant l'une de ces commissions. Il ne s'agit pas d'une cour martiale, laquelle offre beaucoup plus de protection [...] Le procureur général Ashcroft a exprimé l'avis que les terroristes ne méritent pas de protection constitutionnelle. Ces « tribunaux » sont

conçus pour condamner, et non pour rendre justice [14].

Des centaines de personnes ont été arrêtées aux États-Unis sous divers prétextes, dans les mois qui suivirent les attentats du 11 septembre. Des élèves du secondaire furent renvoyés pour s'être prononcés « contre la guerre », des professeurs d'université ont été remerciés ou réprimandés pour s'être opposés à la guerre :

> Un professeur de l'Université de la Floride est devenu la première victime dans la guerre au terrorisme [...] Le professeur Sami Al-Arian, qui enseigne l'informatique à la University of South Florida (USF) où il a la permanence, a fait l'objet d'une enquête du FBI, mais sans avoir été arrêté ni accusé de quelque crime que ce soit [...] Le professeur a reçu des menaces de mort et il a été rapidement suspendu de ses fonctions, avec rémunération, par la rectrice de l'université, Judy Genshaft [...].

> [En novembre 2001] le Conseil américain des administrateurs et anciens étudiants (ACTA) a émis un rapport sur [...] le manque de patriotisme des universités et la façon d'y remédier. Le document renfermait les propos de 117 professeurs de collège et d'université ayant osé protester contre la guerre au terrorisme du président ou soulever des questions à cet égard. Dans cette « défense de la civilisation », ces universitaires étaient qualifiés de « maillon faible » de la réaction de l'Amérique à l'agression du 11 septembre [15].

L'accroissement des pouvoirs du FBI et de la CIA

La nouvelle loi ajoute aux attributions du FBI et de la CIA le droit de mettre sous écoute électronique et sous surveillance les organisations non gouvernementales, les syndicats de même que les journalistes et les intellectuels. En vertu de cette nouvelle loi, la police pourra donc espionner qui elle veut :

> Aux termes de la nouvelle loi, les tribunaux secrets pourront accorder la permission de mettre un domicile sous écoute électronique et d'y effectuer secrètement une perquisition. Le FBI pourra placer des individus et des organisations sous écoute électronique sans se plier aux exigences de la Constitution. Les tribunaux secrets pourront permettre l'écoute des appareils téléphoniques, ordinateurs ou téléphones cellulaires qu'un suspect serait à même d'utiliser. Le courrier électronique pourra être contrôlé avant même que son destinataire en ait pris connaissance. Des milliers de conversations et de messages seront écoutés ou lus sans qu'il soit nécessaire de les relier à un suspect ou à un crime.

> La nouvelle loi renferme de nombreuses autres dispositions tendant à accroître le pouvoir d'enquête et de poursuite, notamment le recours accru à des agents d'infiltration au sein des organisations [non gouvernementales], des peines d'emprisonnement prolongé et la surveillance à perpétuité de personnes ayant purgé leur peine, un plus grand nombre de crimes passibles de la peine capitale et de plus longues prescriptions en matière de poursuite...

> [...]

[Selon la nouvelle loi], tout mouvement de contestation ou d'opposition à l'encontre des politiques gouvernementales pourrait constituer un crime de « terrorisme national ». [Ces mouvements émanant de la société civile] sont vaguement définis en tant qu'actes qui mettent en danger la vie humaine, enfreignent le droit criminel et « semblent chercher à intimider ou à contraindre une population civile » ou « à influencer la politique d'un gouvernement par l'intimidation ou la coercition ». [...] Le mouvement de contestation de Seattle [1999] contre l'OMC correspond à cette définition. Cet ajout au code criminel n'était pas nécessaire ; il existe déjà suffisamment de dispositions législatives qui font de la désobéissance civile un délit sans devoir étiqueter de terroristes ces formes de contestation ni les assortir de peines d'emprisonnement sévères.

[...]

Le gouvernement américain conçoit la guerre au terrorisme comme une guerre permanente et sans frontières. Certes, le terrorisme effraie chacun de nous, mais il est également effrayant de penser que, au nom de l'antiterrorisme, notre gouvernement soit prêt à suspendre en permanence nos libertés constitutionnelles [16].

La loi canadienne reprend dans ses grandes lignes les dispositions antiterroristes américaines. Dans les deux mois qui suivirent les attentats du 11 septembre, « plus de 800 personnes au Canada sont disparues dans les dédales du système de détention canadien sans pouvoir communiquer avec leur famille ou leur avocat[17] ». Et cela s'est produit avant que le Parlement canadien n'ait adopté sa loi antiterroriste :

> Les mesures antiterroristes font bien davantage que de supprimer les libertés civiles, elles suppriment la justice. Elles nous ramènent à un système inquisitoire d'arrestations et de détentions arbitraires. Les allégations policières sommaires remplacent les dépositions. La notion de preuve est abolie. Mise en accusation équivaut à culpabilité. Le principe selon lequel quiconque est innocent tant qu'il n'a pas été reconnu coupable n'existe plus[18].

Encadré 1.2

Les mouvements de contestation contre la mondialisation et le projet de loi C-42 du Canada

Déposé peu après les attentats du 11 septembre (et modifié par le Parlement canadien en avril 2002), le projet de loi C-42 aurait permis au gouvernement de créer arbitrairement des zones militaires n'importe quand et n'importe où. Si la ville de Québec avait été déclarée zone militaire lors du Sommet de 2001 sur la Zone de libre-échange des Amériques (ZLÉA), quiconque se serait trouvé à l'intérieur du périmètre de sécurité, y compris les résidants, aurait pu être reconnu comme étant un terroriste, arrêté sur-le-champ et détenu indéfiniment sans aucun recours.

Encadré 1.3

La loi canadienne contre le terrorisme

Les deux piliers fondamentaux du droit criminel en matière d'établissement de la culpabilité viennent de disparaître : la *mens rea* (ou « intention criminelle ») et l'*actus reus* (ou « acte coupable »). Si l'État décide qu'un acte terroriste a été commis auquel vous étiez relié ou associé de quelque façon que ce soit, vous êtes coupable, que vous ayez eu ou non l'intention de commettre cet acte ou que vous l'ayez commis ou non.

Le « droit de garder le silence » n'existe plus. Le principe de la confidentialité entre un avocat et son client n'existe plus (comme si l'on obligeait un prêtre à divulguer le secret du confessionnal). La notion d'un procès juste et du droit à une défense pleine et entière n'existe plus.

Les personnes ou organisations accusées d'être « terroristes » sont inscrites sur une liste. Quiconque est associé à une personne ou à une organisation figurant sur cette liste peut être défini par association en tant que terroriste. Par conséquent, les avocats qui défendent des personnes accusées de terrorisme risquent d'être définis eux-mêmes comme des terroristes.

Quiconque est accusé de terrorisme s'expose à voir ses biens et ses comptes bancaires saisis et confisqués. Les sanctions sont excessives et rigou-

➤

➤

reuses (il s'agit dans bien des cas de l'emprisonnement à perpétuité). Voilà certaines des horreurs
prévues dans le projet de loi C-36, *Loi antiterroriste
du Canada* [19].

Dans l'Union européenne, bien que la législation
antiterroriste entraîne une dérogation aux libertés
civiles et mette en péril la primauté du droit, elle est
moins radicale que les mesures adoptées par les États-
Unis et le Canada. En Allemagne, les Verts de la coalition gouvernementale ont fait pression sur le ministre
de l'Intérieur, Otto Schily, afin qu'il « assouplisse » le
projet de loi déposé au Bundestag. La loi allemande
antiterroriste accorde néanmoins à la police des pou-
voirs extraordinaires. Elle renforce en outre les dispositions en matière de déportation. Il convient de
souligner que le gouvernement allemand avait con-
senti en 2001 plus de trois milliards de marks pour
renforcer la sécurité nationale et les services de renseignements, en grande partie au détriment des programmes sociaux.

La crise économique mondiale

La guerre et la mise en place d'un État autoritaire se
produisent au milieu d'une dépression économique
mondiale marquée par l'effondrement des institutions
étatiques, la montée du chômage, la chute du niveau
de vie dans toutes les régions du monde y compris

l'Europe occidentale et l'Amérique du Nord, ainsi que l'éclosion de la famine dans les pays en développement.

À l'échelle mondiale, cette dépression est plus lourde de conséquences que celle des années 1930. Par ailleurs, non seulement la guerre a provoqué le déclin de l'économie civile au profit du complexe militaro-industriel, mais elle a aussi accéléré la décomposition de l'État-providence dans la plupart des pays occidentaux.

Cinq jours avant les attentats terroristes contre le World Trade Centre et le Pentagone, le président Bush se faisait presque prophétique :

> J'ai dit à maintes reprises que le seul moment où l'on puisse utiliser l'argent de la sécurité sociale, c'est en période de guerre, en période de récession ou en cas d'extrême urgence. Et je suis sincère dans mes propos... Je le suis. [6 septembre 2001]

La rhétorique présidentielle a donné le ton à une expansion dramatique de la machine de guerre des États-Unis. On rabâche les mots « récession » et « guerre » afin de façonner l'opinion publique américaine et lui faire accepter le pillage de la caisse de la sécurité sociale au profit des fabricants d'armes de destruction massive — ce qui constitue une puissante réorientation des ressources du pays vers le complexe militaro-industriel.

Depuis les attentats terroristes, « amour de la patrie », « loyauté » et « patriotisme » ont pris d'assaut les médias et le discours politique officiel. Ce que veut le président Bush mais sans l'avouer avec son « axe du mal » (Irak, Iran, Corée du Nord, Libye, Syrie), c'est de créer une nouvelle légitimité, d'ouvrir la porte à une « revitalisation de la défense nationale » tout en apportant diverses justifications aux interventions militaires menées par les États-Unis dans différentes parties du monde. Entre-temps, la conversion de la production civile en production militaire fait la fortune des grandes entreprises de défense aux dépens des besoins de la population.

L'essor donné par l'administration Bush au complexe militaro-industriel ne contribuera pas pour autant à endiguer la vague de chômage qui déferle sur les États-Unis (voir l'encadré 1.4). En revanche, cette réorientation de l'économie américaine va engendrer des centaines de milliards de dollars de profits que seulement une poignée de grosses sociétés viendront empocher.

La guerre et la mondialisation

Guerre et mondialisation sont intimement liées. La crise économique mondiale — qui a commencé bien avant les événements du 11 septembre — est enracinée dans les réformes du Nouvel Ordre mondial tendant à « libéraliser le marché ». Depuis la « crise asiatique » de 1997, on assiste à la chute des marchés financiers, les économies nationales se sont effondrées l'une après l'autre, des pays tout entiers (comme l'Argentine et la Turquie) sont tombés aux mains de leurs créanciers internationaux et des millions de personnes ont été appauvries.

Encadré 1.4

Création d'emplois par la machine de guerre américaine

Les *Big Five* de l'industrie de la Défense nationale (Lockheed Martin, Northrop Grumman, General Dynamics, Boeing, Raytheon) ont canalisé des effectifs et des ressources affectés à la production « civile » vers leurs chaînes de montage « militaires ». Lockheed Martin (LMT) — le plus gros producteur militaire des États-Unis — a effectué des compressions majeures dans ses divisions commerciales et civiles en difficulté pour mieux se consacrer à la production de systèmes d'armement (perfectionné), dont le chasseur F-22 Raptor. Chaque F-22 Raptor va coûter 85 millions de dollars. Il y aura 3000 emplois directs de créés et chaque emploi coûtera la modique somme de 20 millions de dollars[20].

Boeing, en appel d'offres pour le marché de 200 milliards de dollars du département de la Défense touchant la fabrication du Joint Striker Fighter (JSF), a confirmé la création d'environ 3000 emplois tandis que l'entreprise annonçait son intention, à la suite des attentats du 11 septembre, « de mettre à pied jusqu'à 30 000 travailleurs ». Chez Boeing, chaque emploi créé en vertu du programme JSF va coûter aux contribuables américains 66,7 millions de dollars. Pas étonnant que l'administration Bush veuille comprimer les programmes sociaux[21].

À bien des égards, la « crise d'après le 11 septembre » est annonciatrice aussi bien de la chute de la social-démocratie occidentale que de la fin d'une époque. La légitimité du système mondial du « libre marché » a été renforcée, ce qui a ouvert la porte à une nouvelle vague de déréglementation et de privatisation qui pourrait mener à une prise de contrôle de tous les services publics et des infrastructures de l'État par l'entreprise privée (c'est-à-dire les soins de santé, l'électricité, les services municipaux d'aqueduc et d'égout, les autoroutes, la radio et la télévision publiques, etc.).

De plus, aux États-Unis, au Canada, en Grande-Bretagne de même que dans la plupart des pays de l'Union européenne, la révocation de la primauté du droit a permis l'émergence d'un pouvoir autoritaire sans que la société civile n'y fasse opposition, ou à peine, de manière organisée. Sans aucun débat ni discussion, la « guerre au terrorisme » contre de prétendus « États voyous » est jugée nécessaire afin de « protéger la démocratie » et de renforcer la sécurité intérieure.

Le sens de la guerre tel qu'enseigné par l'histoire a fait place, en ce qui concerne la guerre de l'Amérique, à la nécessité de « combattre le mal », lequel réside dans les États qualifiés de « voyous », et à celle de « traquer Oussama ». Ces deux expressions sans cesse répétées s'inscrivent dans une campagne de propagande soigneusement orchestrée. L'idéologie de l'« État voyou », conçue par le Pentagone lors de la guerre du Golfe en 1991, constitue une nouvelle légitimité, la justification d'une « guerre humanitaire » menée contre des pays qui ne se conforment pas au Nouvel Ordre mondial et aux principes du « libre marché ».

Notes

1. PBS News Hour, 11 septembre 2001, <www.pbs.org/newshour/bb/military/terroristattack/government.html>.

2. *New York Times*, 12 septembre 2001.

3. *Le Figaro*, Paris, 11 octobre 2001.

4. CBS News avec Dan Rather, 28 janvier 2002.

5. Cité dans *The Christian Science Monitor*, 3 septembre 1998.

6. *Time Magazine*, 15 novembre 1999.

7. Alexander Yanov, « Dangerous Lady : Political Sketch of the Chief Foreign Policy Adviser to George Bush », *Moscow News*, 12 juillet 2000 ; Centre de recherche sur la mondialisation (CRM), <www.globalresearch.ca>, 30 septembre 2001.

8. Voir également *The Irish Times*, 20 janvier 2001 ; *The Japanese Times*, 6 janvier 2002.

9. *The Guardian*, Londres, 15 septembre 2001.

10. Peter Roff et James Chapin, « Face-off : Bush's Foreign Policy Warriors », United Press International, 18 juillet 2001 ; Centre de recherche sur la mondialisation (CRM), <www.globalresearch.ca/articles/ROF111A.html>, 3 novembre 2001.

11. Alfred McCoy, « Drug Fallout : the CIA's Forty Year Complicity in the Narcotics Trade », *The Progressive*, 1er août 1997.

12. Michael Ratner, « Moving Toward a Police State (Or Have We Arrived ?) », *Global Outlook*, vol. 1, n° 1, 2002, p. 33. Aussi au Centre de recherche sur la mondialisation (CRM), <www.globalresearch.ca/articles/RAT111A.html>, 30 novembre 2001.

13. Michael Ratner, *op. cit.*

14. *Ibid.*

15. Bill Berkovitz, « Witchhunt in South Florida, Pro-Palestinian Professor Is first Casualty of Post-9/11 Conservative Correctness », Centre de recherche sur la mondialisation (CRM), <www.globalresearch.ca/articles/BER112A.html>, 13 décembre 2001.

16. *Ibid.*

17. Voir Constance Fogal, « Globalisation and the Destruction of the Rule of Law », *Global Outlook*, vol. 1, n° 1, printemps 2002, p. 36.

18. *Ibid.*

19. *Ibid.*

20. Voir Michel Chossudovsky, « War is Good for Business », *Global Outlook*, vol. 1, n° 1, printemps 2002.

21. *Ibid.*

CHAPITRE II

Qui est Oussama ben Laden ?

PRÉSENTÉ DE FAÇON CARICATURALE par les médias occidentaux, Oussama ben Laden fait figure d'épouvantail. Il est à la fois la « cause » et la « conséquence » de la guerre et de la dévastation sociale. On le tient également responsable de la mort des civils afghans tombés sous les bombardements américains. Le secrétaire à la Défense Donald Rumsfeld a même affirmé dans le cadre de la campagne contre le réseau al-Qaïda d'Oussama ben Laden que « [...] il n'excluait pas le recours éventuel à l'arme nucléaire [1] ».

Qui est Oussama ? Dur retournement des choses ; il s'avère que le principal suspect dans l'affaire des attentats terroristes de New York et de Washington, le Saoudien Oussama ben Laden, *fut recruté durant la guerre soviéto-afghane « ironiquement sous les auspices de la CIA* [Central Intelligence Agency] *pour lutter contre l'envahisseur soviétique* [2] ».

En 1979, était lancée en Afghanistan « la plus vaste " opération en sous-main[*] " de la CIA » :

> Sous la houlette de la CIA et des Services de rensei-gnements militaires du Pakistan (ISI) qui voulaient transformer le djihad afghan en une guerre globale de tous les États musulmans contre l'Union sovié-tique, quelque 35 000 intégristes musulmans de 40 pays islamiques furent recrutés pour participer à cette guerre en Afghanistan entre 1982 et 1992. Des dizaines de milliers d'autres sont venus au Pakistan étudier dans les madrasas ou écoles coraniques. On évalue à plus de 100 000 les Musulmans radicaux étrangers qui furent directement intégrés au djihad afghan[3].

L'aide du gouvernement américain aux moudjahi-dines fut présentée à l'opinion publique mondiale comme une « réponse » à l'invasion soviétique de l'Afghanistan qui visait, en 1979, à soutenir le gou-vernement procommuniste de Babrak Kamal. Des faits récents laissent cependant entendre que la CIA avait plutôt lancé cette opération subversive en Afghanistan *avant* l'invasion soviétique. Il est maintenant avéré que l'objectif de Washington consistait à déclencher une guerre civile, laquelle a duré pendant plus de 20 ans.

Le soutien apporté aux moudjahidines par la CIA est confirmé dans une entrevue accordée en 1998 par

---

[*]   N.D.T. : L'expression anglaise « *covert operations* », qui est un terme courant dans le domaine du renseignement, a été rendue dans cet ouvrage par « opérations en sous-main ».

Zbigniew Brzezinski, ancien conseiller en matière de sécurité nationale auprès du président Jimmy Carter :

[...]

Brzezinski : Selon la version officielle, la CIA aurait commencé à fournir de l'aide aux moudjahidines en 1980, c'est-à-dire *après l'invasion de l'Afghanistan par l'armée soviétique le 24 décembre 1979. Mais la réalité, gardée secrète jusqu'à maintenant, est bien différente. En effet, c'est le 3 juillet 1979 que le président Carter a signé le premier décret tendant à apporter une aide secrète aux opposants du régime prosoviétique de Kaboul.* Ce jour-là, j'ai adressé une note au président pour lui expliquer que, à mon avis, cette aide allait entraîner une intervention militaire soviétique.

Question : En dépit du risque, vous étiez partisan de cette activité secrète. Peut-être souhaitiez-vous l'entrée en guerre des Soviétiques et cherchiez-vous à la provoquer ?

Brzezinski : Vous n'y êtes pas tout à fait. Nous n'avons pas poussé les Russes à agir, mais nous en avons délibérément accru la probabilité.

Question : Lorsque les Soviétiques ont tenté de justifier leur intervention en disant vouloir lutter contre un engagement secret des États-Unis en Afghanistan, personne ne les a crus. Or, il y avait un fond de vérité. Vous ne le regrettez pas aujourd'hui ?

Brzezinski : Regretter quoi ? Cette opération secrète était une excellente idée. Les Russes sont tombés dans le piège en Afghanistan et vous voudriez que je le regrette ? Le jour où les Soviétiques ont officiellement franchi la frontière, j'ai écrit au président Carter : « *L'occasion nous est maintenant donnée d'offrir à l'U.R.S.S. sa guerre du Viêtnam.* » En effet, pendant presque 10 ans, Moscou a dû livrer une guerre que le gouvernement ne pouvait pas soutenir, un conflit qui a fini par démoraliser l'empire soviétique et provoquer son démembrement.

Question : *Vous ne regrettez pas non plus d'avoir soutenu l'intégrisme islamiste et d'avoir procuré armes et conseils à de futurs terroristes ?*

Brzezinski : *Qu'est-ce qui compte le plus du point de vue de l'histoire ? Les talibans ou la chute de l'empire soviétique ? L'excitation de quelques Musulmans ou la libération de l'Europe centrale et la fin de la guerre froide*[4] *?*

Le « djihad islamique »

Conformément aux propos de Brzezinski, un « réseau intégriste islamique » fut créé par la CIA. Ce qu'il est convenu d'appeler le « djihad islamique » (ou guerre sainte contre les Soviétiques) faisait partie intégrante des opérations en sous-main de la CIA. Celles-ci furent soutenues par les États-Unis et l'Arabie saoudite grâce à des fonds provenant en grande partie du trafic des stupéfiants du Croissant d'or :

En mars 1985, le président Reagan signait le décret
de sécurité nationale 166, lequel prévoyait l'accroissement de l'aide militaire secrète aux moudjahidines
et signifiait que la guerre menée en sous-main en
Afghanistan avait un nouvel objectif: défaire par
l'action clandestine les troupes soviétiques en
Afghanistan et favoriser la retraite soviétique. La
nouvelle aide secrète américaine a commencé par
une augmentation massive de fournitures militaires
— dont le volume annuel devait atteindre 65 000
tonnes en 1987, [...] de même que par un «flot
incessant» de spécialistes de la CIA et du Pentagone qui se rendaient au quartier général de l'ISI
pakistanais, tenu secret, situé sur la route principale près de Rawalpindi, au Pakistan. À cet endroit,
les spécialistes de la CIA rencontraient des agents
du renseignement pakistanais en vue de mettre au
point les diverses opérations des forces rebelles
afghanes[5].

La CIA a joué, par l'entremise de l'ISI, un rôle clé
dans l'entraînement des moudjahidines. À leur tour,
les techniques d'entraînement à la guérilla de la CIA
furent intégrées aux enseignements de l'Islam. Des
madrasas furent établies par les fondamentalistes
wahhabites financés par l'Arabie saoudite: «C'est le
gouvernement des États-Unis qui a soutenu le dicta-
teur pakistanais, le général Zia ul-Haq, en vue de créer
les milliers d'écoles coraniques qui ont donné nais-
sance aux talibans[6].»

Les thèmes prédominants voulaient que l'islamsoit
une idéologie sociopolitique à part entière, que la

sainteté de l'islamait été violée par une armée soviétique athée et que la population islamique de
l'Afghanistan devait réaffirmer son indépendance
en renversant le régime gauchiste afghan soutenu
par Moscou[7].

Le rôle de l'ISI pakistanais

L'aide secrète de la CIA au « djihad islamique » fut
canalisée par le truchement de l'ISI pakistanais — la
CIA ne l'acheminait donc pas elle-même aux moudjahidines. Autrement dit, pour la « réussite » de ces
opérations secrètes, Washington devait se garder de
révéler l'objectif ultime du djihad, lequel consistait non
pas seulement à déstabiliser le gouvernement prosoviétique en Afghanistan mais aussi à détruire l'Union
soviétique.

Ainsi que l'affirmait Milton Beardman de la CIA,
« ce n'est pas nous qui avons entraîné les Arabes ».
Néanmoins, selon Abdel Monam Saidali du Centre
Al-Aram des études stratégiques du Caire, ben Laden
et les « Arabes afghans » ont bénéficié de « techniques
d'entraînement très poussées grâce à la CIA[8] ».

Beardman confirme à cet égard qu'Oussama ben
Laden n'était pas conscient du rôle que lui faisait jouer
Washington. Pour reprendre les mots de ben Laden
(cités par Beardman) : « ni moi, ni mes frères n'avions
connaissance d'une quelconque aide américaine[9] ».

Mus par le nationalisme et la ferveur religieuse, les
guerriers de l'islamignoraient qu'ils combattaient l'armée soviétique pour le compte de l'Oncle Sam. Alors

que des contacts avaient lieu aux échelons supérieurs des services de renseignements, les officiers des forces moudjahidines n'avaient aucun contact direct avec Washington ou la CIA.

Avec l'appui de la CIA et la canalisation d'une aide militaire américaine massive, l'ISI pakistanais s'est transformé en une « organisation parallèle disposant d'un pouvoir énorme sur tous les aspects de la politique gouvernementale[10] ». L'effectif de l'ISI, formé d'officiers militaires, d'agents du renseignement et de bureaucrates atteignait environ 150 000 personnes[11].

D'autre part, les opérations de la CIA ont également contribué à renforcer le régime militaire pakistanais du général Zia ul-Haq :

> Les rapports entre la CIA et l'ISI se sont sensiblement réchauffés après que le général Zia ait chassé Bhutto et imposé son régime militaire [...] Pendant la plus grande partie de la guerre en Afghanistan, le Pakistan est devenu encore plus antisoviétique que les États-Unis. En 1980, peu après l'invasion militaire soviétique, Zia [ul-Haq] avait donné comme mandat au chef de l'ISI de déstabiliser les républiques soviétiques d'Asie centrale. La CIA n'a avalisé ce plan qu'en octobre 1984 [...] « La CIA s'est montrée plus prudente que les Pakistanais. » Le Pakistan et les États-Unis ont tous deux trompé les forces en présence en faisant mine publiquement de vouloir négocier un règlement alors que, en privé, ils s'accordaient à rechercher l'escalade militaire[12].

Le Croissant d'or, triangle de la drogue

Le dossier du commerce de la drogue en Asie centrale est étroitement lié aux opérations secrètes de la CIA. Avant la guerre soviéto-afghane, la production d'opium en Afghanistan et au Pakistan était acheminée vers de petits marchés régionaux. Il n'y avait pas de production locale d'héroïne[13]. À ce propos, l'étude d'Alfred McCoy confirme que deux ans après le début des activités de la CIA en Afghanistan, « la zone frontalière entre le Pakistan et l'Afghanistan est devenue la plus grande productrice d'héroïne au monde, capable de répondre à 60 % de la demande provenant des États-Unis. Au Pakistan, le nombre d'héroïnomanes, à peu près inexistant en 1979, atteignait 1,2 million en 1985 — soit la hausse la plus vertigineuse de tous les pays du monde[14] ».

> Le commerce de l'héroïne s'exerçait sous le contrôle de la CIA. À mesure que les moudjahidines gagnaient du terrain en Afghanistan, ils ordonnaient aux paysans de cultiver l'opium à titre d'impôt révolutionnaire. De l'autre côté de la frontière, au Pakistan, les leaders afghans et les organisations locales, sous la protection de l'ISI pakistanais, exploitaient des centaines de laboratoires d'héroïne. Durant cette décennie de commerce des stupéfiants à ciel ouvert, la Drug Enforcement Administration (DEA) des États-Unis à Islamabad n'a lancé aucune saisie ni arrestation majeure. [...] Les responsables américains ont refusé d'enquêter dans des affaires de trafic d'héroïne mettant en cause des alliés afghans, « la politique américaine en matière de

narcotiques en Afghanistan ayant été subordonnée à la guerre menée contre l'influence soviétique dans ce pays ». En 1995, l'ex-directeur des opérations de la CIA en Afghanistan, Charles Cogna, a avoué que la CIA avait en effet sacrifié la lutte antidrogue afin de mieux combattre la guerre froide. « Notre principale mission était de faire le plus de tort possible aux Soviétiques. Nous n'avions pas vraiment de temps ni de ressources à consacrer à des enquêtes sur le commerce de la drogue [...] Je ne pense pas que nous devons nous en excuser. Chaque situation a ses défauts [...] Il y a certes eu des lacunes en ce qui concerne la lutte contre la drogue, oui. Mais le principal objectif a été atteint. Les Soviétiques ont quitté l'Afghanistan [15]. »

Après la guerre froide, l'Asie centrale n'est pas devenue stratégique uniquement pour ses énormes gisements de pétrole et de gaz naturel ; l'Afghanistan produit 75 % de l'héroïne mondial, ce qui représente des revenus de plusieurs milliards de dollars pour les syndicats financiers, les institutions financières, les agences du renseignement et le crime organisé. Avec la désintégration de l'Union soviétique, on a assisté à une recrudescence de la production d'opium.

Le commerce de l'héroïne dans le Croissant d'or (entre 100 et 200 milliards de dollars) représentait en fin de siècle environ le tiers de la production mondiale de stupéfiants, lequel se chiffre à environ 500 milliards de dollars selon les Nations Unies [16]. Selon la DEA des États-Unis, l'Afghanistan a été en 2000 responsable de plus de 70 % de la production mondiale d'opium et d'environ 80 % des opiacés de l'Europe[17].

Les puissants syndicats financiers de l'Occident et de l'ex-Union soviétique, alliés au crime organisé, se sont livré concurrence pour le contrôle stratégique du commerce de l'héroïne. D'après l'Organisation des Nations Unies (ONU), la production d'opium en Afghanistan en 1998-1999 atteignait le chiffre record de 4600 tonnes métriques[18]. Autrement dit, le contrôle du passage de la drogue est « stratégique » à bien des égards. Les milliards de dollars provenant du commerce des stupéfiants sont déposés dans le système bancaire occidental. La majorité des grandes banques internationales — de concert avec leurs filiales établies dans les paradis fiscaux — blanchissent d'impressionnantes quantités de narcodollars. Par conséquent, le commerce international des stupéfiants constitue une affaire de plusieurs centaines de milliards de dollars, c'est-à-dire de même ampleur que le commerce international du pétrole. De ce point de vue, le contrôle géopolitique des réseaux de la drogue est aussi « stratégique » que celui du pétrole et des pipelines.

Au lendemain de la guerre froide

Malgré la défaite de l'Union soviétique, le vaste appareil des services de renseignements militaires pakistanais, l'ISI, ne fut pas démantelé une fois la guerre froide terminée. La CIA a continué de soutenir le djihad islamique. De nouvelles opérations en sous-main furent lancées en Asie centrale, dans le Caucase et dans les Balkans. L'ISI pakistanais « a essentiellement servi de

---

Encadré 2.1

Le régime fantoche après-talibans rétablit le commerce des stupéfiants

Après l'interdiction de la culture du pavot imposée en 2000 par le gouvernement taliban, la production d'opium avait chuté de plus de 90 % [19]. Dès l'an 2000, l'Alliance du Nord devient le principal pouvoir politique engagé à protéger la production et la commercialisation de l'opium brut.

La guerre menée par Washington contre l'Afghanistan en 2001 a grandement contribué à rétablir le commerce de l'opium sous un gouvernement fantoche de l'Alliance du Nord parrainé par les États-Unis.

Sous le gouvernement provisoire du premier ministre Hamid Kharzaï, la culture du pavot a grimpé en flèche. Les marchés d'opium furent rapidement rétablis. Dès après le 11 septembre, le prix de l'opium a triplé en Afghanistan. Au début de 2002, le prix (en dollars/kilo) était près de 10 fois supérieur à celui de 2000. Le PNUCID estime que la production d'opium avait augmenté de 657 % en 2002 (en comparaison avec le niveau de 2001) [20].

---

catalyseur à la désintégration de l'Union soviétique et à l'émergence de six nouvelles républiques musulmanes en Asie centrale [21] ».

Tableau 2.1

La culture du pavot en Afghanistan

Année	Superficie cultivée (en hectares)
1994	71 470
1995	53 759
1996	56 824
1997	58 416
1998	63 674
1999	90 983
2000	82 172
2001	7606
2002*	45 000 — 65 000

Source : PNUCID, Afghanistan, Opium Poppy Survey, <www.undcp.org/pakistan/report_2001-10-16_1.pdf> et PNUCID, Afghanistan, Opium Poppy Survey, Pre-Assessment, 2002, <www.undcp.org/pakistan/report_2002-02-28_1.pdf>.

* Chiffres provisoires

Entre-temps, les missionnaires islamistes de la secte wahhabite d'Arabie saoudite se sont établis dans les républiques musulmanes de l'ancienne Union soviétique et au sein de la Fédération russe, en empiétant sur les institutions de l'État laïque. Malgré son idéologie antiaméricaine, l'intégrisme islamique servait indirectement les intérêts stratégiques de Washington.

Après le départ des troupes soviétiques en 1989, la guerre civile s'est poursuivie avec la même intensité en Afghanistan. Les talibans avaient l'appui des *Deobandis* pakistanais et de leur parti politique, le Rassemblement des oulémas de l'islam(JUI). En 1993, le JUI est entré dans la coalition gouvernementale pakistanaise du premier ministre Benazzir Bhutto. Des liens se sont tissés entre le JUI, l'armée et l'ISI. En 1996, avec la chute du gouvernement Hizb-i Islami de Hekmatyar à Kaboul, les talibans ont non seulement instauré un gouvernement islamiste radical, mais encore « remis la direction des camps d'entraînement de l'Afghanistan entre les mains des factions du JUI[22] ».

Et le JUI, avec l'appui du mouvement saoudien wahhabite, a joué un rôle crucial dans le recrutement de volontaires pour mener la lutte dans les Balkans et l'ancienne Union soviétique.

Le *Jane Defense Weekly* confirme à cet égard que « la moitié de l'effectif et du matériel des talibans [provenait] du Pakistan par l'intermédiaire de l'ISI[23] ». En réalité, il semble qu'après la retraite soviétique, les deux parties adverses dans la guerre civile afghane ont continué à recevoir une aide secrète de la CIA par l'intermédiaire de l'ISI pakistanais[24].

Soutenu par l'ISI pakistanais qui était à son tour contrôlé par la CIA, l'État islamique taliban servait les intérêts géopolitiques américains. Voilà ce qui explique pourquoi Washington a fermé les yeux sur le règne de terreur imposé par les talibans, notamment la suppression des droits des femmes, l'interdiction pour les filles de fréquenter l'école, le renvoi des femmes qui travaillaient dans la fonction publique et l'application du régime punitif de la *charia*[25].

Le narcotrafic du Croissant d'or a également permis de financer et d'équiper l'Armée bosniaque musulmane (dès le début des années 1990) et, plus tard, l'Armée de libération du Kosovo (UCK). En fait, quelques mois avant les attentats du 11 septembre, des mercenaires moudjahidines parrainés par le réseau al-Qaïda combattaient sous la supervision de conseillers militaires américains dans les rangs des terroristes de l'UCK qui menaient des assauts en Macédoine. (Voir le Chapitre III.)

La guerre en Tchétchénie

En Tchétchénie, région autonome de la Fédération de Russie, les principaux leaders des forces rebelles, Shamil Basayev et Al Khattab, ont été entraînés et endoctrinés dans les camps de l'Afghanistan et du Pakistan parrainés par la CIA. Selon Yossef Bodansky, directeur du groupe de travail du Congrès américain sur le terrorisme et la guerre non conventionnelle, la guerre en Tchétchénie avait été planifiée lors d'un sommet secret du Hezbollah international tenu en 1996 à Mogadiscio, en Somalie[26]. Assistaient à ce sommet nul autre qu'Oussama ben Laden et des hauts gradés iraniens et pakistanais des services de renseignements. L'ISI pakistanais a donc fait, relativement à la Tchétchénie, « beaucoup plus que de fournir aux Tchétchènes des armes et du savoir-faire : l'ISI et ses agents islamistes radicaux sont en fait aux commandes de cette guerre[27] ».

Le principal oléoduc de la Russie traverse la Tchétchénie et le Daghestan. Même si Washington condamne le terrorisme islamiste, les bénéficiaires indirects des guerres de Tchétchénie sont les conglomérats pétroliers anglo-américains qui livrent une concurrence pour avoir la mainmise sur les réserves pétrolifères et les oléoducs du bassin de la mer Caspienne.

Les deux principales armées rebelles de Tchétchénie (dirigées respectivement par les commandants Shamil Basayev et Al Khattab), fortes de 35 000 hommes, ont l'appui de l'ISI pakistanais lequel, à son tour, a joué un rôle crucial dans l'organisation et l'entraînement de l'armée rebelle tchétchène :

> [En 1994] l'ISI pakistanais — relevant des forces armées — a fait en sorte que Basayev et ses lieutenants de confiance reçoivent un endoctrinement islamiste intensif et un entraînement à la guérilla dans la province afghane de Khost, au camp d'Amir Muawia mis sur pied au début des années 1980 par la CIA et l'ISI et dirigé par le seigneur de la guerre afghan bien connu, Gulbuddin Hekmatyar. En juillet 1994, fraîchement diplômé du camp d'Amir Muawia, Basayev a été muté au camp de Markaz-i-Daguerre, au Pakistan, pour parfaire son apprentissage des techniques de la guérilla. Au Pakistan, Basayev a fait la connaissance d'officiers militaires et d'agents secrets pakistanais de haut rang : le général Aftab Shahban Mirani, ministre de la

Défense, le général Nasrullah Babar, ministre de l'Intérieur et le directeur du service de l'ISI chargé de soutenir la cause islamiste, le général Javed Ashraf (tous maintenant à la retraite). Ces contacts de haut niveau allaient rapidement s'avérer fort utiles à Basayev[28].

Bien formé et bien endoctriné, Basayev a reçu pour mission de mener l'assaut contre les troupes fédérales russes en 1995 durant la première guerre tchétchène. Son organisation avait aussi tissé des liens solides avec les mafias moscovites de même qu'avec le crime organisé en Albanie et l'UCK. En 1997-1998, selon le Service de la sécurité fédérale (FSB) de Russie, « les seigneurs de la guerre tchétchènes se sont mis à acheter des immeubles au Kosovo [...] par l'intermédiaire de diverses agences immobilières enregistrées en Yougoslavie en guise de couverture[29] ».

L'organisation de Basayev fut également mêlée à divers trafics comme celui des stupéfiants, au sabotage des oléoducs russes, à des enlèvements, à de la prostitution, à des opérations de faux monnayage et à la contrebande de matériel nucléaire[30]. Le produit du blanchiment de narcodollars à grande échelle et de nombreuses autres activités illicites ont servi au recrutement de mercenaires et à l'achat d'armement.

Durant sa période d'entraînement en Afghanistan, Shamil Basayev s'est associé avec le Saoudien Al Khattab, ancien commandant des moudjahidines qui avait jadis combattu comme volontaire en Afghanistan. Quelques mois à peine après le retour de Basayev à Groznyï, Khattab fut invité (au début de

1995) à mettre sur pied une base militaire en Tchétchénie pour l'entraînement des moudjahidines. Selon la BBC, l'affectation de Khattab en Tchétchénie avait été « arrangée par la Islamic Relief (International) [Organisation internationale de secours islamique] ayant son siège social en Arabie saoudite, une organisation militante religieuse financée par des mosquées et de riches particuliers qui acheminait des fonds en Tchétchénie[31] ».

Le démantèlement des institutions laïques de l'ancienne Union soviétique

L'application de la loi islamique au sein des sociétés musulmanes laïques de l'ancienne Union soviétique sert les intérêts stratégiques américains dans la région. Dans les républiques de l'Asie centrale et du Caucase, y compris la Tchétchénie et le Daghestan qui font partie de la Fédération de Russie, une tradition laïque caractérisée par le rejet de la loi islamique prévalait.

La guerre tchétchène de 1994-1996 menée contre Moscou par les forces rebelles a eu pour effet de saper les institutions laïques de l'État. Dans de nombreuses localités tchétchènes, des administrations parallèles se sont implantées sous l'impulsion des milices islamistes. Dans certains villages et certaines petites municipalités, des tribunaux islamiques relevant de la *charia* ont été créés sous le règne de la terreur politique.

L'aide financière apportée aux armées rebelles par l'Arabie saoudite et les États du golfe Persique était conditionnelle à l'établissement de tribunaux religieux malgré la vive opposition de la population. Le juge en

chef et émir des tribunaux de la *charia* en Tchétchénie
est le cheik Abu Umar [...] « arrivé en Tchétchénie en
1995 pour y joindre les rangs des moudjahidines placés sous le commandement de Ibn ul-Khattab [...] Il
a entrepris d'enseigner l'islamintégriste aux moudjahidines tchétchènes qui n'en avaient, pour bon
nombre d'entre eux, qu'une connaissance incomplète
et déformée [32] ».

En même temps, les institutions étatiques de la
Fédération de Russie en Tchétchénie tombaient en
ruine sous le coup des mesures d'austérité du Fonds
monétaire international (FMI), imposées sous la présidence de Boris Eltsine. Parallèlement, aussi bien les
institutions de la Fédération que celles relevant de la
région autonome de Tchétchénie furent peu à peu
remplacées par les tribunaux de la *charia* financés par
des fonds provenant de l'Arabie saoudite.

Non seulement le mouvement saoudien wahhabite
s'efforçait-il de supplanter les institutions civiles du
Daghestan et de la Tchétchénie, mais il cherchait aussi
à prendre la place des dirigeants soufis. En fait, la résistance aux rebelles islamistes du Daghestan reposait
sur l'alliance entre les administrations locales (laïques)
et les cheiks soufis :

> Ces groupes [wahhabites] constituent une minorité
> très faible mais bien financée et armée. Leurs agres-
> sions ont pour but de semer la terreur parmi les
> masses [...] En provoquant l'anarchie et la viola-
> tion des lois, ils renforcent leur propre idéologie
> islamiste, cruelle et intolérante [...] Pareils groupes
> ne représentent pas le courant islamique soutenu

par la vaste majorité des Musulmans [...] Il ne s'agit en fait de rien de moins qu'un mouvement anarchiste sous étiquette islamique [...] Ils ne visent pas tant à créer un État islamique qu'à semer la confusion qui va leur permettre de prospérer[33].

Appui aux mouvements sécessionnistes en Inde

En parallèle avec ses opérations secrètes menées dans les Balkans et l'ancienne Union soviétique en guise d'appui aux mouvements rebelles islamistes, l'ISI pakistanais a soutenu à partir des années 1980 diverses insurrections islamistes de nature sécessionniste dans l'État du Jammu et du Cachemire en Inde.

Bien que condamnées officiellement par Washington, ces opérations secrètes de l'ISI furent menées avec l'approbation tacite du gouvernement américain. L'ISI a eu un rôle à jouer dans la création du mouvement militant des moudjahidines hezbollah du Jammu et Cachemire (JKHM), qui coïncidait avec l'Accord de paix de Genève conclu en 1989 et le retrait des Soviétiques de l'Afghanistan[34].

L'agression terroriste de décembre 2001 au Parlement indien — qui a conduit l'Inde et le Pakistan au bord de la guerre — fut revendiquée par deux groupes rebelles émanant du Pakistan, Lashkar-e-Taiba (ou l'Armée des purs) et Jaish-e-Muhammad (ou l'Armée de Mahomet), tous deux appuyés en sous-main par l'ISI pakistanais[35].

L'agression orchestrée contre le Parlement indien ainsi que les émeutes ethniques qui ont suivi au début de 2002 au Gujarat ont marqué le point culminant d'un processus amorcé dans les années 1980, financé par l'argent de la drogue et appuyé par l'ISI pakistanais[36]. Inutile d'ajouter que ces agressions terroristes soutenues par l'ISI servent les intérêts géopolitiques des États-Unis. Non seulement elles contribuent à affaiblir et à fractionner l'Union indienne, mais elles créent les conditions propices au déclenchement d'une guerre régionale indo-pakistanaise.

De source sûre

Le puissant Council on Foreign Relations (CFR), qui contribue à établir en coulisse les grandes lignes de la politique étrangère américaine, confirme que les groupes rebelles Lashkar et Jaish sont bel et bien soutenus par l'ISI :

> [...] par l'entremise de l'ISI, le Pakistan a procuré aux groupes Lashkar et Jaish du financement, des armes, des bases d'entraînement et de l'aide pour traverser la frontière. Cette assistance — une tentative pour reproduire au Cachemire la « guerre sainte » menée par la brigade islamiste internationale contre l'Union soviétique en Afghanistan — a contribué à introduire le mouvement islamiste dans le conflit qui perdure au sujet du sort du Cachemire...

> Question : Les groupes ont-ils reçu du financement d'autres sources que le gouvernement pakistanais ?

> Oui. Les milieux pakistanais et cachemire d'Angleterre envoient annuellement des millions de dollars et les sympathisants wahhabites du golfe Persique leur procurent aussi de l'aide.

Question : Les terroristes islamistes du Cachemire ont-ils des liens avec al-Qaïda ?

Oui. En 1998, le chef du Harakat, Farouk Kashmiri Khalil, a signé la déclaration par laquelle Oussama ben Laden réclamait de s'attaquer aux Américains, y compris à la population civile, et à leurs alliés. D'après des porte-parole américains et indiens, ben Laden financerait aussi le Jaish. Et Maulana Massoud Azhar, fondateur du Jaish, s'est rendu à plusieurs reprises en Afghanistan pour y rencontrer ben Laden.

Question : Où ces militants islamistes ont-ils été entraînés ?

Bon nombre ont reçu leur formation idéologique dans les mêmes madrasas, ou séminaires musulmans, que les talibans et les combattants étrangers de l'Afghanistan. Leur entraînement militaire s'est fait dans des camps situés en Afghanistan ou dans des villages du Cachemire contrôlés par le Pakistan. Des groupes extrémistes ont récemment ouvert de nouvelles madrasas dans l'Azad-Cachemire[37].

Ce que le CFR se garde de mentionner, ce sont les liens entre l'ISI et la CIA. Ainsi que le confirment les écrits de Zbigniew Brzezinski (qui d'ailleurs est membre du CFR), la « brigade islamique internationale » est une création de la CIA.

Des insurrections parrainées par les États-Unis en Chine

Pour bien comprendre la « Nouvelle Guerre » menée par les États-Unis, il importe de savoir que l'ISI appuie les insurrections islamistes à la frontière occidentale de la Chine avec l'Afghanistan et le Pakistan. En fait, plusieurs des mouvements islamistes à l'œuvre dans les républiques musulmanes de l'ex-Union soviétique sont également présentes en Chine au sein des mouvements sécessionnistes du Turkestan et du Ouïgour, dans la région autonome du Xinjang-Ouïgour.

Ces groupes sécessionnistes — qui comprennent les Forces terroristes du Turkestan oriental, le Parti réformiste islamique, l'Alliance de l'unité nationale du Turkestan oriental, l'Organisation de libération ouïgour et le Parti du djihad ouïgour d'Asie centrale — sont appuyés financièrement et entraînés par le réseau al-Qaïda d'Oussama ben Laden[38].

Ces insurrections islamistes en Chine — appuyées par al-Qaïda et l'ISI pakistanais — ont expressément pour objectif « d'établir un califat dans la région[39] ». Le califat intégrerait en une seule entité politique l'Ouzbékistan, le Tadjikistan, le Kirghizstan (Turkestan occidental) ainsi que la région autonome Ouïgour de Chine (Turkestan oriental).

Le projet de califat enfreint la souveraineté territoriale chinoise. Jouissant du soutien de diverses « fondations » wahhabites des États du golfe Persique, le sécessionnisme à la frontière occidentale de la Chine est conforme aux intérêts stratégiques des États-Unis en Asie centrale. Par ailleurs, un puissant lobby américain vient en aide aux forces séparatistes du Tibet.

Par son appui tacite à la sécession dans la région du Xinjang-Ouïgour (par le truchement de l'ISI pakistanais), Washington cherche à déclencher un vaste processus de déstabilisation et de fracture de la République populaire de Chine. Outre ces diverses opérations en sous-main, les États-Unis ont établi des bases militaires en Afghanistan et dans plusieurs anciennes républiques soviétiques situées sur la frontière occidentale chinoise. La militarisation dans la mer de Chine méridionale et le détroit de Taiwan s'inscrit également dans cette stratégie. (Voir le Chapitre VII.)

La politique étrangère des États-Unis ne tend pas à endiguer le déferlement de l'intégrisme islamique. Bien au contraire. L'importante vague de radicalisation de l'islam au Moyen-Orient et en Asie centrale dans la foulée du 11 septembre est conforme aux intentions cachées de Washington. Celles-ci consistent à soutenir plutôt qu'à combattre le terrorisme international dans le but de déstabiliser les sociétés nationales et d'empêcher l'articulation de véritables mouvements sociaux, qui pourraient se dresser contre l'Empire américain. À cet égard, Washington continue à soutenir — au moyen d'opérations secrètes de la CIA — la montée de l'intégrisme islamique, notamment en Chine et en Inde.

Dans l'ensemble des pays en développement, la croissance d'organisations sectaires et fondamentalistes tend à servir les intérêts américains. Ces diverses organisations et les insurrections armées se sont développées dans les pays où les institutions étatiques se sont effondrées sous l'effet des réformes économiques parrainées par le FMI. Souvent, l'application de la « médecine économique » du FMI donne lieu à des conflits sociaux et ethniques, et cette atmosphère favorise à son tour la montée de l'intégrisme et de la violence.

Ces organisations intégristes contribuent également à abolir et à remplacer les institutions laïques. Autrement dit, l'intégrisme crée des divisions ethniques et sociales. Il empêche les citoyens de s'organiser en vue de s'opposer à l'Empire américain. Ces organisations ou ces mouvements, comme dans le cas des talibans, fomentent souvent une « opposition à l'Oncle Sam » qui ne menace en rien les intérêts économiques et géopolitiques des États-Unis.

Notes

1. Cité dans *The Houston Chronicle,* 20 octobre 2001. Voir également Michel Chossudovsky, « Tactical Nuclear Weapons against Afghanistan ? », Centre de recherche sur la mondialisation (CRM), <www.globalresearch.ca/articles/ CHO112C.html>, 5 décembre 2001.

2. Hugh Davies, International : « Informers Point the Finger at Bin Laden ; Washington on Alert for Suicide Bombers », *The Daily Telegraph,* Londres, 24 août 1998, c'est nous qui soulignons.

3. Ahmed Rashid, « The Taliban : Exporting Extremism », *Foreign Affairs,* novembre-décembre 1999.

4. « L'intervention de la CIA en Afghanistan », entrevue avec Zbigniew Brzezinski, conseiller en matière de sécurité nationale auprès du président Jimmy Carter, *Le Nouvel Observateur,* Paris, 15-21 janvier 1998, publiée en anglais. Centre de recherche sur la mondialisation (CRM), <www.globalresearch.ca/articles/BRZ110A.html>, 5 octobre 2001, c'est nous qui soulignons.

5. Steve Coll, *The Washington Post,* 19 juillet 1992.

6. Association révolutionnaire des femmes afghanes, déclaration sur les attentats terroristes commis aux États-Unis, Centre de recherche sur la mondialisation (CRM), <www.globalresearch.ca/articles/RAW109A.html>, 16 septembre 2001.

7. Dilip Hiro, « Fallout from the Afghan Jihad », Inter Press Services (IPS), 21 novembre 1995.

8. National Public Radio, Weekend Sunday (NPR), avec Eric Weiner et Ted Clark, 16 août 1998.

9. *Ibid.*

10. Dipankar Banerjee, « Possible Connection of ISI with Drug Industry », *India Abroad*, 2 décembre 1994.

11. *Ibid.*

12. Diego Cordovez et Selig Harrison, *Out of Afghanistan : The Inside Story of the Soviet Withdrawal*, Oxford University Press, New York, 1995. Voir également la recension de Cordovez et Harrison dans Inter Press Services (IPS), 22 août 1995.

13. Alfred McCoy, « Drug Fallout : the CIA's Forty Year Complicity in the Narcotics Trade », *The Progressive*, 1er août 1997.

14. *Ibid.*

15. *Ibid.*

16. Douglas Keh, *Drug Money in a Changing World*, Document technique n° 4, 1998, Vienne, Programme des Nations Unies pour le contrôle international des drogues (PNUCID), p. 4. Voir également PNUCID, Rapport de l'Organe international de contrôle des stupéfiants pour 1999, E/INCB/1999/1 Nations Unies, Vienne, 1999, p. 49-51, et Richard Lapper, « UN Fears Growth of Heroin Trade », *Financial Times*, 24 février 2000.

17. BBC, « Afghanistan's Opium Industry », 9 avril 2002.

18. Rapport de l'Organe international de contrôle des stupéfiants, *op. cit.*, p. 49-51. Voir également Richard Lapper, *op. cit.*

19. Programme des Nations Unies pour le contrôle international des drogues (PNUCID), Afghanistan, Opium Poppy Survey, <www.undcp.org/pakistan/report_2001-10-16_1.pdf>.

20. Selon le Programme des Nations Unies pour le contrôle international des drogues (PNUCID), la culture du pavot couvrait en 2002 une superficie allant de 45 000 à 65 000 hectares. En 2001, les champs de pavot ne couvraient plus qu'environ 7606 hectares. Voir PNUCID, Afghanistan,

Opium Poppy Survey, Pre-Assessment, 2002, <www.undcp. org/pakistan/report_2002-02-28_1.pdf>.

21. Inter Press Services (IPS), 22 août 1995.

22. Ahmed Rashid, « The Taliban: Exporting Extremism », *Foreign Affairs,* novembre-décembre 1999, p. 22.

23. Cité dans *The Christian Science Monitor,* 3 septembre 1998.

24. Tim McGirk, « Kaboul Learns to Live with its Bearded Conquerors », *The Independent,* Londres, 6 novembre 1996.

25. Voir K. Subrahmanyam, « Pakistan is Pursuing Asian Goals », *India Abroad,* 3 novembre 1995.

26. Levon Sevunts, « Who's Calling the Shots ? : Chechen Conflict Finds Islamic Roots in Afghanistan and Pakistan », *The Gazette,* Montréal, 26 octobre 1999.

27. *Ibid.*

28. *Ibid.*

29. Voir Vitaly Romanov et Viktor Yadukha, « Chechen Front Moves To Kosovo », *Segodnia,* Moscou, 23 février 2000.

30. Voir « Mafia Linked to Albania's Collapsed Pyramids », *The European,* 13 février 1997, ainsi que Itar-Tass, 4-5 janvier 2000.

31. BBC, 29 septembre 1999.

32. Voir Global Muslim News, <www.islam.org.au/articles/21/ news.htm>, décembre 1997.

33. Mateen Siddiqui, « Differentiating Islam from Militant Islamists », *San Francisco Chronicle,* 21 septembre 1999.

34. Voir K. Subrahmanyam, « Pakistan is Pursuing Asian Goals », *India Abroad,* 3 novembre 1995.

35. Council on Foreign Relations, Terrorism: Questions and Answers, Harakat ul-Mujahedeen, Lashkar-e-Taiba, Jaish-e-Muhammad, <www.terrorismanswers.com/groups/ harakat2.html>, Washington 2002.

36. Voir Murali Ranganathan, « Human Rights Report Draws Flak », *News India*, 16 septembre 1994.

37. *Ibid.*

38. De sources chinoises officielles citées par la United Press International (UPI), 20 novembre 2001.

39. *Defense and Security*, 30 mai 2001.

Chapitre III

Washington soutient le terrorisme international

Tandis que le « djihad islamique » — qualifié par l'administration Bush de « menace pour les États-Unis » — est tenu responsable des attentats terroristes contre le World Trade Centre et le Pentagone, ces mêmes organisations terroristes constituent un instrument essentiel des opérations de la CIA dans plusieurs régions du monde incluant les Balkans et l'ancienne Union soviétique, l'Inde et la Chine.

Pendant que les moudjahidines livrent bataille pour le compte de l'Oncle Sam, le Federal Bureau of Investigation (FBI) — qui agit en tant que force policière sur le territoire des États-Unis — livre une guerre intérieure contre le terrorisme et fonctionne à certains égards indépendamment de la Central Intelligence Agency (CIA), laquelle — depuis la guerre soviéto-afghane — soutient le terrorisme international au moyen de ses opérations secrètes.

Placée devant les faits concernant les opérations secrètes de la CIA depuis l'époque de la guerre froide, l'administration américaine ne peut plus désormais nier ses liens avec Oussama ben Laden. Bien que la CIA admette qu'Oussama ben Laden était un « instrument » des services de renseignements durant la guerre froide, elle soutient néanmoins que cette relation fut bel et bien rompue.

Selon la CIA, un « instrument du renseignement » — par opposition à un « agent secret » en bonne et due forme — n'a pas besoin d'être voué aux intérêts américains. Il suffit que les « instruments » agissent ou se comportent de façon à servir les intérêts de la politique étrangère des États-Unis.

Ces « instruments » des services du renseignement sont invariablement inconscients des fonctions précises qu'ils exercent et du rôle qu'ils jouent pour le compte de la CIA sur l'échiquier géopolitique. Pour le « succès » de ses opérations secrètes, la CIA utilise à son tour diverses organisations de façade ainsi que l'appareil des services de renseignements pakistanais (ISI).

La thèse du « revirement »

Depuis le 11 septembre, plusieurs rapports de presse confirment l'existence de liens entre Oussama et la CIA, tout en soulignant qu'il s'agit de choses du passé, remontant à l'époque révolue de la guerre soviéto-afghane. On refuse d'en voir la pertinence par rapport aux événements du 11 septembre. Le rôle que la CIA a joué pour soutenir les organisations terroristes internationales et contribuer à leur développement au lendemain de la guerre froide est passé sous silence.

Comme exemple flagrant de la distorsion médiatique en marge du 11 septembre, pensons à la thèse du « revirement[*] » : les « instruments du renseignement » se seraient « retournés contre ceux qui les ont créés ». « Ce que nous avons créé nous explose en pleine figure[1]. » Par une espèce de sophisme, le gouvernement américain et la CIA sont dépeints comme de malheureuses victimes :

> Les méthodes perfectionnées enseignées aux moudjahidines et les armes que les États-Unis — et la Grande-Bretagne — leur ont fournies par milliers de tonnes viennent maintenant tourmenter l'Occident selon le phénomène du « revirement » par lequel une stratégie politique est employée à rebours contre ceux qui l'ont conçue[2].

Les médias américains concèdent néanmoins que « l'arrivée au pouvoir des talibans [en 1996] résulte en partie du soutien apporté par les États-Unis aux moudjahidines, groupe islamique radical, durant la guerre contre l'Union soviétique au cours des années 1980[3] ». Mais ce fait, une fois admis, est aussitôt balayé et l'on s'empresse de conclure à l'unisson qu'Oussama a joué de subterfuge contre la CIA. C'est comme « un fils qui se serait retourné contre son père ».

---

[*] N.D.T. : Pour rendre l'expression anglaise « *blowback* » (qui signifie littéralement « retour du souffle »), nous avons privilégié le terme « revirement ».

La thèse du revirement est de la pure fabrication. La CIA n'a jamais rompu ses liens avec le réseau islamique militant.

La répétition du « Irangate » en Bosnie

Qui ne se souvient d'Oliver North et des Contras du Nicaragua lorsque, sous l'administration Reagan, des armes achetées grâce au commerce des stupéfiants étaient acheminées aux Contras du Nicaragua lors de la guerre menée en sous-main par Washington contre le gouvernement sandiniste ?

Le même modèle fut appliqué dans les Balkans au cours des années 1990 pour fournir des armes et du matériel aux moudjahidines. Ceux-ci combattaient dans les rangs de l'Armée bosniaque musulmane en lutte contre les forces armées de la Fédération yougoslave, dans le but de casser les reins au « socialisme de marché » à la yougoslave.

Tout au long des années 1990, la CIA a utilisé les Services de renseignements militaires du Pakistan (ISI) comme intermédiaire afin de procurer des armes et des mercenaires moudjahidines à l'Armée bosniaque musulmane durant la guerre civile en Yougoslavie. Selon un rapport de *International Media Corporation* de Londres :

> De sources sûres, on apprend que les États-Unis sont maintenant engagés [1994] dans la fourniture d'armement et d'entraînement aux forces musulmanes en Bosnie-Herzégovine, en violation des accords des Nations Unies. Des organisations américaines ont

fourni des armes fabriquées en [...] Chine, en Corée du Nord et en Iran. Ces sources indiquent que [...] l'Iran, au su et au vu du gouvernement américain et avec son accord, a procuré aux forces bosniaques une importante quantité de lance-roquettes multiples et de munitions. Entre autres, on mentionne des roquettes de 107 mm et de 122 mm de la République populaire de Chine et des lance-roquettes multiples VBR-230 [...] fabriqués en Iran [...] [de plus] 400 membres de la Garde révolutionnaire iranienne (Pasdaran) seraient arrivés en Bosnie équipés d'une importante quantité d'armes et de munitions. On affirme que la CIA des États-Unis était parfaitement au courant de l'opération et estimait qu'une partie des 400 soldats étaient destinés à de futures opérations terroristes en Europe de l'Ouest.

En septembre et octobre [1994], un nombre important de moudjahidines « afghans » ont été débarqués en secret à Ploce, en Croatie (au sud-ouest de Mostar), d'où ils se sont déplacés avec de faux documents [...] avant de se déployer au sein des forces bosniaques musulmanes dans les régions de Kupres, de Zenica et de Banja Luka. Ces forces ont, récemment [fin de 1994], remporté des succès militaires significatifs. Selon des sources de Sarajevo, elles ont bénéficié de l'aide d'un bataillon du Bangladesh de la Force de protection des Nations Unies en ex-Yougoslavie (FORPRONU), qui avait remplacé un bataillon français au début de septembre [1994].

Les moudjahidines débarqués à Ploce auraient été accompagnés par des unités d'intervention spéciale des États-Unis dotées de matériel de communication de pointe [...] Selon nos sources, les militaires américains avaient pour mission d'établir un réseau de commandement, de contrôle, de communication et de renseignement dans le but de coordonner et d'appuyer l'offensive des Musulmans bosniaques — de concert avec les moudjahidines et les forces croates de Bosnie — à Kupres, à Zenica et à Banja Luka. Quelques offensives ont récemment été menées à partir des zones sécurisées des Nations Unies dans les régions de Zenica et de Banja Luka.

[...]

L'administration américaine n'a pas réduit son engagement à la seule infraction clandestine à l'embargo de l'ONU sur les armes dans la région [...] Elle a [aussi] dépêché ces deux dernières années [avant 1994] trois délégations de haut niveau pour tenter, mais en vain, d'amener le gouvernement yougoslave à se plier à la politique américaine. La Yougoslavie est le seul État de la région à ne pas avoir succombé aux pressions des États-Unis[4].

De source sûre

Fait ironique, cette collaboration de l'administration Clinton avec les réseaux islamistes en Bosnie a été entièrement documentée par le Parti républicain. Dans un rapport détaillé déposé au Congrès et publié en 1997, le Comité du Parti républicain (RPC) accuse l'administration Clinton d'avoir « contribué à transformer la Bosnie en une base militante islamiste » qui a permis de recruter, au moyen du réseau dit « islamiste militant », des milliers de moudjahidines au sein du monde musulman :

> La pire menace peut-être pour la mission de la SFOR [Force de stabilisation en Bosnie-Herzégovine] — et, plus important encore, pour la sécurité des militaires américains affectés en Bosnie — c'est le refus de l'administration Clinton d'informer le Congrès et la population américaine sur sa complicité dans la livraison d'armes de l'Iran au gouvernement musulman de Sarajevo. Cette mesure, approuvée personnellement par Bill Clinton en avril 1994 à la demande expresse du directeur désigné de la CIA (alors chef du Conseil national de sécurité), Anthony Lake, et de l'ambassadeur des États-Unis en Croatie, Peter Galbraith, aurait selon le *Los Angeles Times* (s'appuyant sur des sources secrètes des services de renseignements) « joué un rôle crucial dans le renforcement de l'influence iranienne en Bosnie ».

> [...]

> En même temps que l'importation d'armes, des soldats de la Garde révolutionnaire iranienne et des agents du renseignement du ministère du Renseignement et de la Sécurité de l'Iran (VEVAK) sont entrés en grand nombre en Bosnie, ainsi que des milliers de moudjahidines (ou « combattants de la guerre sainte ») en provenance du monde musulman. Plusieurs autres pays musulmans ont aussi été mis à contribution (dont Brunei, la Malaisie, le Pakistan, l'Arabie saoudite, le Soudan et la Turquie) ainsi qu'un certain nombre d'organisations musulmanes radicales. On connaît, par exemple, l'apport

d'une organisation « humanitaire », la Third World Relief Agency (TWRA), établie au Soudan. *La participation « directe» de l'administration Clinton au réseau islamique de distribution d'armement a comporté l'inspection par des représentants du gouvernement américain de missiles d'origine iranienne [...] La TWRA faussement qualifiée d'humanitaire, établie au Soudan [...] a constitué un rouage majeur dans la fourniture d'armement à la Bosnie [...] TWRA serait reliée à des personnalités du réseau terroriste islamique comme le cheik Omar Abdel Rahman (reconnu coupable d'avoir ourdi le bombardement du World Trade Centre en 1993) et Oussama ben Laden, riche émigré saoudien qui serait le bailleur de fonds de nombreux groupes militants [...]*[5]

La complicité de l'administration Clinton

Autrement dit, le rapport du RPC confirme la complicité sans équivoque de l'administration Clinton avec nombre d'organisations intégristes islamiques, y compris le réseau al-Qaïda d'Oussama ben Laden.

Les républicains cherchaient à nuire à l'administration Clinton. Cependant, tandis que le pays tout entier avait les yeux rivés sur le scandale entourant Monica Lewinsky, ils ont sans doute préféré ne pas déclencher à un moment inopportun un autre scandale « Irangate », concernant cette fois la Bosnie, qui aurait risqué de détourner l'attention du public de l'affaire Lewinsky.

Les républicains voulaient la destitution de Bill Clinton « pour avoir menti à la population américaine » sur son aventure avec une stagiaire de la Maison-Blanche, Monica Lewinsky. Quant aux « mensonges » plus fondamentaux concernant le commerce de la drogue et les opérations secrètes dans les Balkans, démocrates et républicains ont convenu, sans nul doute sous les pressions du Pentagone et de la CIA, de ne pas vendre la mèche.

De la Bosnie au Kosovo

Le modèle bosniaque décrit dans le rapport de 1997 du comité républicain au Congrès s'est répété au Kosovo, et ce, avec la complicité de l'Organisation du traité de l'Atlantique Nord (OTAN) et du département d'État américain. Des mercenaires moudjahidines du Moyen-Orient et de l'Asie centrale furent recrutés pour combattre dans les rangs de l'Armée de libération du Kosovo (UCK) en 1998-1999, laquelle soutenait en grande partie l'effort de guerre de l'OTAN.

Ainsi que l'ont confirmé des sources militaires britanniques, la tâche consistant à armer et à entraîner l'UCK avait été confiée en 1998 à la Defence Intelligence Agency (DIA) des États-Unis et au Service secret britannique, le MI6, de même qu'« à des membres anciens et actifs du 22ᵉ SAS [régiment des « Special Air Services » britanniques] et à trois compagnies privées de services de sécurité de Grande-Bretagne et des États-Unis[6] ».

> Selon un haut gradé britannique, la DIA américaine aurait approché le MI6 en vue de mettre au point un programme d'entraînement pour l'UCK. « Le MI6 a ensuite conclu une entente avec deux

compagnies de sécurité britanniques qui se sont adressées à leur tour à d'anciens membres du 22e SAS. On a dressé des listes d'armes et de fournitures dont l'UCK avait besoin.» Pendant que ces opérations secrètes se déroulaient, des membres actifs du 22e SAS provenant surtout de l'escadrille D ont d'abord été déployés au Kosovo avant que la campagne de bombardement ne soit déclenchée [par l'Otan] au mois de mars [1999][7].

Pendant que les forces spéciales britanniques entraînaient l'UCK dans des bases situées dans le nord de l'Albanie, des instructeurs militaires de Turquie et de l'Afghanistan, financés par le « djihad islamique », collaboraient à cet entraînement dans le domaine de la guérilla et des tactiques de diversion[8] :

> Ben Laden s'est lui-même rendu en Albanie. Il dirigeait l'un des nombreux groupes intégristes à avoir envoyé des unités combattre au Kosovo [...] Ben Laden aurait monté une opération en Albanie en 1994 [...] De source albanaise, on sait que Sali Berisha, alors président, avait des liens avec des groupes qui se sont révélés être par la suite des intégristes radicaux[9].

Les témoignages rendus au Congrès sur les liens entre l'UCK et Oussama

Selon le témoignage présenté au Comité des affaires judiciaires de la Chambre des représentants par Frank Ciluffo, du Global Organised Crime Program :

Ce qui a été largement caché au public, c'est le fait que l'UCK tirait une partie de ses fonds du commerce des stupéfiants. L'Albanie et le Kosovo sont situés au carrefour de la « route des Balkans » qui relie le « Croissant d'or » de l'Afghanistan et du Pakistan aux marchés de la drogue en Europe. Sur cette route qui vaut environ 400 milliards de dollars, circule 80 % de l'héroïne destinée à l'Europe [10].

Selon Ralf Mutschke de la direction du renseignement criminel à Interpol qui témoignait également devant le Comité des affaires judiciaires de la Chambre :

Le département d'État américain tenait l'UCK pour une organisation terroriste qui finançait ses opérations avec l'argent provenant du commerce international de l'héroïne et des prêts obtenus de pays islamiques et de particuliers parmi lesquels figurerait Oussama ben Laden. Un autre lien menant à ben Laden tient au fait que le frère du chef d'une organisation égyptienne du djihad, qui est aussi un commandant militaire du réseau al-Qaïda d'Oussama ben Laden, dirigeait une unité d'élite de l'UCK durant le conflit au Kosovo [11].

Madeleine Albright protège l'UCK

L'administration Clinton n'a guère tenu compte des liens de l'UCK avec le terrorisme international et le crime organisé, documentés par le Congrès américain. En fait, dans les mois précédant le bombardement de la Yougoslavie, la secrétaire d'État Madeleine Albright s'efforçait de donner à l'UCK une « légitimité politique ». La force paramilitaire fut — du jour au lendemain — hissée au rang de force « démocratique » en bonne et due forme au Kosovo. Madeleine Albright a également accéléré la diplomatie internationale : on a fait jouer à l'UCK un rôle crucial lors des « négociations de paix » avortées de Rambouillet au début de 1999. Pendant ce temps, l'UCK étendait et consolidait ses rapports avec le réseau islamiste, y compris le réseau al-Qaïda d'Oussama ben Laden.

Le Congrès américain endosse tacitement le terrorisme d'État

Même si les procès-verbaux du Congrès confirment que l'UCK travaillait main dans la main avec le réseau al-Qaïda d'Oussáma ben Laden, cela n'a pas empêché l'administration Clinton puis l'administration Bush d'approvisionner l'UCK en armes et en matériel. Ces documents confirment en outre que des membres du Sénat et la Chambre de représentants étaient au courant des relations du gouvernement avec le terrorisme international. Selon le représentant John Kasich devant le Comité des forces armées : « Nous avons établi des liens [en 1998-1999] avec l'UCK, laquelle servait de point de relais à ben Laden [...] [12] »

Les membres du Congrès étaient parfaitement au courant des liens entre le gouvernement américain et Oussama ben Laden. Ils savaient pertinemment qui était ce dernier : un pion entre les mains de l'administration Clinton puis de l'administration Bush. Par conséquent, ils savaient aussi que la « campagne contre le terrorisme international » lancée au lendemain du 11 septembre correspondait à des intentions cachées. Néanmoins, républicains et démocrates ont donné à l'unisson leur plein appui au président Bush pour qu'il fasse la guerre à Oussama.

En 1999, le sénateur Jo Lieberman affirmait sans ambages que *« lutter pour l'UCK c'est lutter pour les droits de la personne et les valeurs américaines ». Ce disant, il savait que l'UCK entretenait des liens étroits avec le réseau al-Qaïda d'Oussama ben Laden.* Quelques heures après les attaques aux missiles de croisière du 7 octobre 2001 en Afghanistan, le même Jo Lieberman réclamait des frappes aériennes punitives contre l'Irak : « Nous sommes en guerre contre le terrorisme [...] Nous ne pouvons pas nous limiter à ben Laden et aux talibans. » À titre de membre du Comité sénatorial des forces armées, le sénateur Lieberman avait pourtant accès à tous les documents du Congrès touchant les liens entre l'UCK et Oussama. Il savait pertinemment, en adoptant cette position, que des organismes du gouvernement américain et de l'OTAN avaient soutenu Oussama ben Laden.

La guerre en Macédoine

Dans la foulée de la guerre de 1999 en Yougoslavie, l'UCK a étendu ses activités terroristes au sud de la Serbie et en Macédoine. Rebaptisée Corps de sécurité du Kosovo (Kosovo Protection Corps, TMK), l'UCK obtenait la reconnaissance des Nations Unies, c'est-à-dire qu'elle bénéficiait désormais de sources « légitimes » de financement par l'entremise des Nations

Unies ainsi que par des voies bilatérales, notamment celle de l'aide militaire directe des États-Unis.

À peine deux mois après le lancement officiel du TMK sous les auspices de l'ONU (septembre 1999), les commandants du TMK-UCK — se servant des ressources et du matériel de l'ONU — préparaient leurs attaques en Macédoine, suite logique de leurs activités terroristes au Kosovo. Selon le quotidien de Skopje *Dnevnik*, le TMK avait établi une « sixième zone d'opération » dans le sud de la Serbie et en Macédoine :

> Des sources affirment, sous le couvert de l'anonymat, que des brigades de protection du Kosovo [c'est-à-dire liées au TMK parrainé par l'ONU] avaient déjà [en mars 2000] établi leurs quartiers généraux à Tetovo, à Gostivar et à Skopje. D'autres sont en voie d'établissement à Debar et à Struga [à la frontière avec l'Albanie] et leurs membres sont dotés de codes définis [13].

D'après la BBC, « des forces spéciales occidentales continuent d'entraîner la guérilla du TMK-UCK [14] ».

Le « réseau islamiste » collabore avec l'OTAN en Macédoine

Les mercenaires étrangers ayant combattu en Macédoine en 2001 dans les rangs de l'Armée de libération nationale (ALN) autoproclamée (liée à l'UCK) comptaient des moudjahidines en provenance des républiques de l'ex-Union soviétique, du Moyen-Orient et de l'Asie centrale. Au sein des forces relevant de l'UCK en Macédoine se trouvaient également des conseillers militaires américains faisant partie d'une organisation de mercenaires sous contrat avec le Pentagone ainsi que des « soldats de fortune » d'origine britannique, néerlandaise et allemande. Certains de ces mercenaires occidentaux avaient combattu avec l'UCK et l'Armée bosniaque musulmane.

La presse macédonienne ainsi que les déclarations émanant des autorités de Macédoine confirment sans équivoque que le gouvernement américain et le « réseau islamiste » travaillaient main dans la main pour soutenir et financer l'ALN, engagée dans des attentats terroristes en Macédoine. L'ALN est une filiale de l'UCK. Cette dernière et le TMK, parrainé par l'ONU, sont à leur tour des institutions identiques qui disposent des mêmes commandants et du même personnel militaire. *Les commandants du TMK, rémunérés par l'ONU, combattent au sein de l'ALN aux côtés des moudjahidines.*

L'ironie du sort veut que tout en étant soutenues et financées par le réseau al-Qaïda d'Oussama ben Laden, l'UCK et l'ALN jouissent aussi de l'appui de l'OTAN et de la Mission d'administration intérimaire des Nations Unies au Kosovo (MINUK). En fait, le « réseau islamiste » — appuyé par l'ISI pakistanais comme intermédiaire avec la CIA — constitue toujours une composante des opérations militaires et du renseignement en sous-main de Washington en Macédoine et dans le sud de la Serbie.

Les terroristes de l'UCK-ALN sont financés d'une part grâce à l'aide militaire américaine et du budget de maintien de la paix des Nations Unies, d'autre part par des organisations islamiques, dont le réseau al-Qaïda d'Oussama ben Laden. L'argent de la drogue sert aussi à financer les terroristes avec la complicité du gouvernement américain. Le recrutement des moudjahidines qui combattent dans les rangs de l'ALN en Macédoine s'effectue par l'entremise de divers groupes islamiques.

Des conseillers militaires américains côtoient les moudjahidines au sein de la même force paramilitaire, des mercenaires occidentaux des pays de l'OTAN luttent à côté de moudjahidines recrutés au Moyen-Orient et en Asie centrale. Et aux États-Unis, les médias parlent du « revirement » et affirment que les dits « instruments du renseignement » se sont retournés contre ceux qui les avaient jadis créés !

Or, il ne s'agit pas de l'époque révolue de la guerre froide ! En 2001, en Macédoine, le réseau al-Qaïda collaborait avec Washington et l'OTAN. Ces liens entre le gouvernement américain et le terrorisme international sont confirmés par des rapports de presse, le récit de témoins oculaires, des preuves photographiques ainsi que des déclarations officielles du premier ministre macédonien qui a accusé l'alliance militaire occidentale de soutenir les terroristes. L'agence de presse officielle de Macédoine (MIA) a en outre souligné les liens établis entre l'envoyé spécial de Washington, l'ambassadeur James Pardew, et les terroristes de l'ALN[15]. C'est donc dire que les dits « instruments du renseignement » continuent à servir les intérêts de Washington.

Encadré 3.1

L'envoyé des États-Unis, James Pardew

James Pardew a commencé sa carrière dans les Balkans en 1993 comme agent supérieur du renseignement auprès des chefs d'état-major combiné chargés d'acheminer l'aide américaine à l'Armée bosniaque musulmane. Le colonel Pardew avait pour mission d'organiser le largage de fournitures aux forces bosniaques. Ces opérations de largage étaient alors considérées comme une « aide civile ». On a su par après — comme l'a confirmé le rapport du RPC au Congrès — que les États-Unis avaient violé l'embargo des Nations Unies sur les armes. Et James Pardew a joué un rôle important au sein de l'équipe des responsables du renseignement qui a collaboré de près avec le président du Conseil national de sécurité, Anthony Lake.

Pardew a participé par la suite aux négociations de Dayton (1995) pour le compte du département de la Défense des États-Unis. En 1999, avant le bombardement de la Yougoslavie, le président Clinton l'a nommé « représentant spécial pour la stabilisation militaire au Kosovo ». Il avait notamment pour tâche d'acheminer l'aide à l'UCK, laquelle était aussi soutenue à l'époque par Oussama ben Laden. Pardew a joué à cet égard un rôle déterminant dans l'application du « modèle bosniaque » au Kosovo et, par la suite, en Macédoine.

Le peuple américain induit en erreur

Une guerre d'envergure a été déclenchée en Asie centrale par l'administration Bush, sous prétexte de « combattre le terrorisme international », alors qu'il est avéré que le gouvernement américain appuie le terrorisme international en sous-main dans le cadre de sa politique étrangère. Autrement dit, la principale justification de la guerre a été fabriquée de toutes pièces. La population américaine a été sciemment et délibérément induite en erreur par son gouvernement.

Rappelons que cette décision d'induire la population américaine en erreur fut prise quelques heures à peine après les attentats terroristes perpétrés contre le World Trade Centre. Sans preuve à l'appui, Oussama était déclaré « suspect numéro un ». Le surlendemain, soit jeudi le 13 septembre — l'enquête du FBI ayant tout juste commencé — le président Bush promettait de « mener le monde à la victoire ».

De surcroît, le Sénat et la Chambre des représentants au complet — à l'exception d'une seule voix dissidente, honnête et courageuse, à la Chambre des représentants — endossait la décision de l'administration de faire la guerre. Les membres de la Chambre et du Sénat ont accès aux rapports confidentiels et aux documents secrets des divers comités, qui prouvent sans l'ombre d'un doute que des organismes relevant du gouvernement américain maintiennent des liens avec le terrorisme international. Ils ne peuvent pas prétendre qu'ils n'étaient pas au courant. À vrai dire, la majorité de ces éléments de preuve sont du domaine public.

En vertu de la résolution historique du Congrès américain adoptée par la Chambre des représentants et le Sénat le 14 septembre :

> Le président est autorisé à utiliser toute la force nécessaire et pertinente contre les nations, organisations ou personnes dont il a établi qu'elles ont planifié, autorisé, commis ou aidé à commettre les attentats terroristes survenus le 11 septembre 2001, ou qu'elles ont hébergé semblables organisations ou personnes, de manière à empêcher la perpétration de tout acte futur de terrorisme international contre les États-Unis par ces nations, organisations ou personnes [16].

Notre analyse confirme que des organismes relevant du gouvernement américain aussi bien que de l'OTAN ont, depuis la fin de la guerre froide, continué à « héberger semblables organisations ».

Fait ironique, la résolution du Congrès en date du 14 septembre constitue elle aussi un éventuel « revirement » contre les responsables américains du terrorisme international. Elle n'exclut pas la menée d'une enquête « Oussamagate » ni la prise de mesures pertinentes contre des organismes ou des hauts responsables du gouvernement américain (y compris des membres des administrations Clinton et Bush, de la CIA et du Congrès américain) qui auraient collaboré avec le réseau al-Qaïda d'Oussama ben Laden.

Notes

1. United Press International (UPI), 15 septembre 2001.

2. *The Guardian,* Londres, 15 septembre 2001.

3. United Press International (UPI), *op. cit.*

4. International Media Corporation Defense and Strategy Policy, *US Commits Forces, Weapons to Bosnia,* Londres, 31 octobre 1994.

5. Communiqué du Congrès, Comité du Parti républicain (RPC), « American Congress, Clinton-Approved Iranian Arms Transfers Help Turn Bosnia into Islamic Militant Base », Washington DC, 16 janvier 1997, disponible sur le site Web du Centre de recherche sur la mondialisation (CRM), <www.globalresearch.ca/articles/DCH109A.html>. Le document original est affiché sur le site Web du US Senate Republican Party Committee (sénateur Larry Craig), <www.senate.gov/~rpc/releases/1997/iran.htm>, c'est nous qui soulignons.

6. *The Scotsman,* Édimbourg, 29 août 1999.

7. *Ibid.*

8. Truth in Media, *Kosovo in Crisis,* Phoenix, Arizona, <www.truthinmedia.org/>, 2 avril 1999.

9. *The Sunday Times,* Londres, 29 novembre 1998.

10. Congrès américain, Témoignage de Frank J. Ciluffo, directeur adjoint du programme *Global Organized Crime,* devant le Comité des affaires judiciaires de la Chambre, Washington DC, 13 décembre 2000.

11. Congrès américain, Témoignage de Ralf Mutschke, de la direction du renseignement criminel à Interpol, devant le Comité des affaires judiciaires de la Chambre, Washington DC, 13 décembre 2000.

12. Congrès américain, Procès-verbal des témoignages devant le Comité des forces armées de la Chambre, Washington DC, 5 octobre 1999, c'est nous qui soulignons.

13. *Macedonia Information Centre Newsletter*, Skopje, 21 mars 2000, diffusé par la BBC dans son bulletin de nouvelles internationales, 24 mars 2000.

14. BBC, 29 janvier 2001, <news.bbc.co.uk/hi/english/world/europe/newsid_1142000/1142478.stm>.

15. Scotland on Sunday, 15 juin 2001, <www.scotlandonsunday.com/text_only.cfm?id=SS01025960>. Voir également United Press International (UPI), 9 juillet 2001. Pour de plus amples détails, voir Michel Chossudovsky, « Washington behind Terrorist Assaults in Macedonia », Centre de recherche sur la mondialisation (CRM), août 2001, <www.global research.ca/articles/CHO108B.html>.

16. Voir *The White House Bulletin*, 14 septembre 2001.

CHAPITRE IV

Camouflage ou complicité ?

Le rôle de l'ISI pakistanais dans les attentats du 11 septembre

L'Administration américaine a sciemment utilisé le terrorisme international pour atteindre les objectifs de sa politique étrangère, par l'entremise des Services de renseignements militaires pakistanais (ISI).

C'est le monde à l'envers : alors qu'il est avéré que l'ISI constitue la base d'appui institutionnelle au réseau al-Qaïda d'Oussama ben Laden, l'administration Bush a choisi, dans la foulée du 11 septembre, de demander l'aide de l'ISI pakistanais dans le cadre de sa « campagne contre le terrorisme international ».

Deux jours après les attentats terroristes contre le World Trade Centre et le Pentagone, on rapporte qu'une délégation dirigée par le chef de l'ISI pakistanais, le lieutenant général Mahmoud Ahmad, se trouvait à Washington pour des entretiens de haut niveau au département d'État[1].

Les médias américains ont laissé entendre qu'Islamabad avait réuni une délégation à la demande de Washington et que l'invitation à cette réunion avait été transmise au gouvernement pakistanais « après » la tragédie du 11 septembre.

Or, ce n'est pas ainsi que les choses se sont produites ! L'espion en chef du Pakistan, le lieutenant général Mahmoud Ahmad « était aux États-Unis au moment des attentats[2] ». Selon le *New York Times*, il était en visite officielle, « à l'occasion d'une tournée de consultations[3] avec ses homologues américains[3] ». Il n'existe aucune mention de la nature des « affaires » qu'il menait aux États-Unis la semaine précédant les attentats terroristes. D'après *Newsweek*, il était « en visite à Washington lors de l'attentat et, comme la plupart des autres voyageurs, il y est resté coincé », incapable de rentrer chez lui en raison de l'interdiction imposée aux vols internationaux[4].

En réalité, le lieutenant général Ahmad était arrivé aux États-Unis le 4 septembre, une semaine avant les attentats[5]. Signalons que l'objet de sa réunion du 13 septembre au département d'État n'a été rendu public qu'« après » les attentats terroristes du 11 septembre, lorsque l'administration Bush prenait la décision de demander officiellement la « coopération » du Pakistan dans le cadre de sa « campagne contre le terrorisme international ».

La presse confirme que le lieutenant général Mahmoud Ahmad a eu deux réunions à huis clos avec le sous-secrétaire d'État Richard Armitage, les 12 et 13 septembre respectivement[6]. Après le 11 septembre, il a également rencontré le sénateur Joseph Biden, président du puissant Comité sénatorial des relations étrangères.

Cependant, divers communiqués font aussi état d'une « tournée de consultations » du lieutenant général Ahmad auprès de responsables américains durant la semaine précédant le 11 septembre — c'est-à-dire, des réunions avec ses homologues de la Central Intelligence Agency (CIA), du Pentagone et du Conseil national de sécurité[7].

La nature de ces « consultations routinières » n'a pas été rendue publique. Étaient-elles liées d'une quelconque façon aux consultations ultérieures (au lendemain du 11 septembre), touchant la décision du Pakistan de « coopérer avec Washington », tenues à huis clos au département d'État les 12 et 13 septembre ? Est-ce que la planification de la guerre était à l'ordre du jour de cette réunion ?

« L'axe ISI-Oussama-talibans »

Le 9 septembre, le chef de l'Alliance du Nord, le commandant Ahmed Shah Massoud, est assassiné. L'Alliance du Nord informe l'administration Bush de l'implication présumée de l'ISI dans l'assassinat. Dans un communiqué officiel, l'Alliance du Nord confirme que :

> un axe « ISI pakistanais-Oussama-talibans » [avait] comploté l'assassinat au moyen d'un attentat-

suicide par deux Arabes [...] « Nous croyons qu'il s'agit d'un triangle réunissant Oussama ben Laden, l'ISI, ou la section du renseignement de l'armée pakistanaise, et les talibans[8]. »

De façon plus générale, la complicité de l'ISI dans l'axe « ISI-Oussama-talibans » était du domaine public, ayant été confirmée par les procès-verbaux du Congrès et des rapports des services de renseignements. (Voir le Chapitre III.)

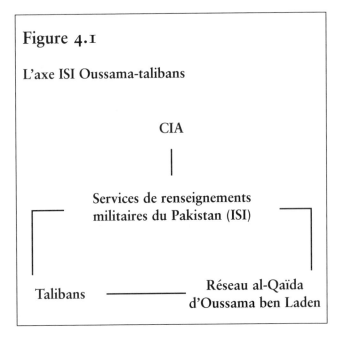

Figure 4.1

L'axe ISI Oussama-talibans

CIA

Services de renseignements militaires du Pakistan (ISI)

Talibans   Réseau al-Qaïda d'Oussama ben Laden

Encadré 4.1

Programme d'activités du chef des Services de renseignements militaires du Pakistan, le lieutenant général Mahmoud Ahmad, en visite officielle aux États-Unis, du 4 au 13 septembre 2001

Été 2001: Le chef de l'ISI, le lieutenant général Mahmoud Ahmad, verse 100 000 $ au chef de file de l'attentat du 11 septembre, Mohammed Atta.

4 septembre: Ahmad arrive aux États-Unis en visite officielle.

4-9 septembre: Il a des réunions avec ses homologues américains dont le chef de la CIA, George Tenet.

9 septembre: Assassinat du commandant Massoud, chef de l'Alliance du Nord. Le communiqué officiel de l'Alliance du Nord fait état de la participation de l'axe ISI-Oussama-talibans.

11 septembre: Attentats terroristes contre le World Trade Centre et le Pentagone.

12-13 septembre: Entretiens entre le lieutenant général Ahmad et le sous-secrétaire d'État Richard Armitage. Entente de « coopération » négociée entre Ahmad et Armitage.

13 septembre: Ahmad s'entretient avec le sénateur Joseph Biden, président du Comité sénatorial des relations étrangères.

L'administration Bush collabore avec l'ISI du Pakistan

L'administration Bush a pris sciemment la décision, lors des consultations au département d'État, de «coopérer» directement avec l'ISI pakistanais. Cette «coopération» s'est établie malgré les liens que ce dernier entretient avec Oussama ben Laden et les talibans, de même que son rôle présumé dans l'assassinat du commandant Massoud qui, par coïncidence, avait eu lieu l'avant-veille des attentats terroristes.

Entre-temps, les médias occidentaux avaient passé sous silence le rôle de l'ISI dans l'assassinat du commandant Massoud. Le complot est mentionné comme s'il s'agissait d'un fait divers. Sa signification politique relativement au 11 septembre et à la décision subséquente de faire la guerre à l'Afghanistan, est à peine esquissée.

Sans discussion ni débat, le Pakistan est promulgué au rang d'«ami» et d'allié des États-Unis.

Complicité des médias américains

Faisant preuve d'une logique éminemment tordue, les médias américains en tirent de manière quasi unanime la conclusion suivante:

> Les responsables américains ont demandé la coopération du Pakistan [précisément] parce qu'il constitue d'emblée le soutien initial des talibans, ces dirigeants islamistes radicaux de l'Afghanistan que Washington accuse d'abriter ben Laden[9].

Personne ne semblait avoir remarqué le mensonge derrière les déclarations officielles concernant la campagne contre le terrorisme international, à l'exception peut-être d'un journaliste d'enquête qui avait demandé à Colin Powell au début de son point de presse au département d'État le jeudi 13 septembre :

> [Est-ce que] les États-Unis perçoivent le Pakistan comme un allié ou, ainsi qu'il ressort de « Patterns of Global Terrorism », comme un endroit où des groupes terroristes vont s'entraîner. Ou est-ce l'un et l'autre[10] ?

Voici la réponse de Colin Powell :

> Nous avons remis au gouvernement pakistanais une liste de requêtes précises sur lesquelles nous croyons qu'il lui serait utile de collaborer avec nous, et nous discuterons de cette liste avec le président pakistanais un peu plus tard cet après-midi[11].

Le document auquel le journaliste faisait allusion, « Patterns of Global Terrorism », est une publication du département d'État américain[12]. Autrement dit, la réponse évasive de Colin Powell lors de la conférence de presse est réfutée par des documents officiels du gouvernement américain, dont nous citons un extrait ci-dessous :

> [...] Le Pakistan fournit aux talibans du matériel, du combustible, des fonds, une assistance technique et des conseillers militaires. Le Pakistan n'a pas empêché ses ressortissants d'aller en grand nombre combattre en Afghanistan aux côtés des talibans.

Islamabad n'a pas non plus pris les mesures nécessaires pour freiner les activités de certaines madrasas, ou écoles coraniques, qui servent de terrain de
recrutement pour le terrorisme[13].

Ces documents confirment sans équivoque les liens
entre le gouvernement du président pakistanais Pervez
Musharraf (y compris l'appareil des services de renseignements) et le terrorisme international.

Réunion à huis clos au département d'État

L'administration Bush a recherché la « coopération »
de ceux (dont l'ISI pakistanais) qui avaient soutenu
les terroristes. Une absurdité, qui est néanmoins conforme aux objectifs stratégiques et économiques de
Washington en Asie centrale et au Moyen-Orient.

La réunion du 13 septembre tenue à huis clos au
département d'État entre le sous-secrétaire d'État
Richard Armitage et le lieutenant général Mahmoud
Ahmad a joué un rôle crucial dans les préparatifs de
guerre. Rappelons que le président Bush n'a pas pris
part à ces négociations : « le sous-secrétaire d'État
Richard Armitage a remis [au chef de l'ISI, Mahmoud
Ahmad] une liste de mesures précises que Washington
exige du Pakistan[14] ». « Après une conversation téléphonique entre [le secrétaire d'État Colin] Powell et
le président du Pakistan Pervez Musharraf, le porte-
parole du département d'État, Richard Boucher, a
affirmé que le Pakistan avait promis de coopérer[15]. »

Plus tard dans la journée du 13 septembre, le président George W. Bush confirme que le gouvernement

pakistanais acceptait « de coopérer et de nous aider à traquer les auteurs de cette ignoble agression contre l'Amérique [16] ».

L'espion en chef du Pakistan en mission en Afghanistan

Le 13 septembre, le président pakistanais Pervez Musharraf promet à Washington d'envoyer le chef de l'ISI, le lieutenant général Mahmoud Ahmad, rencontrer les talibans afin de négocier l'extradition d'Oussama ben Laden. Cette décision, prise à la demande de Washington, fut probablement conclue lors de l'entretien entre Richard Armitage et Mahmoud Ahmad au département d'État.

L'espion en chef du Pakistan rentre à Islamabad afin de se préparer à remplir une mission quasi impossible :

> À la requête des Américains, Ahmad s'est rendu [...] à Kandahar, en Afghanistan. Il y a déposé une demande des plus osées. Le chef des talibans, Mohammad Omar, devait livrer sans condition ben Laden sans quoi les États-Unis et leurs alliés leur feraient la guerre [17].

Les rencontres de Mahmoud avec les talibans à deux occasions distinctes ont été qualifiées d'échec. Pourtant cet « échec » touchant l'extradition d'Oussama faisait partie du plan américain et fournissait le prétexte à une éventuelle intervention militaire.

Si Oussama avait été extradé, la guerre « contre le terrorisme international » aurait été privée de sa

principale justification. Et les faits tendent à démontrer que cette guerre était prévue et planifiée depuis
bien avant le 11 septembre, conformément aux objectifs stratégiques et économiques de Washington.

Entre-temps, des hauts représentants du Pentagone
et du département d'État avaient été dépêchés à Islamabad pour mettre la dernière main aux plans de
guerre des États-Unis. Le dimanche précédant le début
du bombardement des principales villes de l'Afghanistan par l'aviation américaine (soit le 7 octobre), le
lieutenant général Mahmoud Ahmad était relevé de
ses fonctions à la direction de l'ISI en vertu de ce qu'on
a qualifié d'un « remaniement de routine ». On a appris
plus tard qu'il avait été nommé au puissant poste de
gouverneur du Pendjab, à la frontière occidentale avec
l'Inde.

« Le chaînon manquant »

Quelques jours après la retraite du lieutenant général
Mahmoud Ahmad, un article paru dans *The Times of
India* — passé à peu près inaperçu dans les médias
occidentaux — révélait l'existence de liens entre l'espion en chef du Pakistan, le lieutenant général
Mahmoud Ahmad, et le présumé chef de file de
l'attentat contre le World Trade Centre, Mohammed
Atta. À bien des égards, cet article constitue le chaî-
non manquant pour qui cherche à comprendre les
dessous des attentats terroristes du 11 septembre :

> Alors que le Service des relations publiques du gou-
> vernement du Pakistan prétend que l'ancien direc-
> teur général de l'ISI, le lieutenant général Mahmoud

Ahmad, a voulu prendre sa retraite lundi dernier [8 octobre, jour où les États-Unis ont commencé à bombarder l'Afghanistan], des sources bien informées confirment ce mardi [9 octobre] que le général a été limogé en raison des «preuves» que l'Inde aurait fournies concernant ses liens avec l'un des auteurs des attentats-suicides contre le World Trade Centre. Les autorités américaines ont réclamé son limogeage après avoir obtenu confirmation du versement de 100 000 $ au pirate de l'air Mohammed Atta par l'intermédiaire de Ahmed Omar Cheikh, sous les instances du général Mahmoud. Des autorités gouvernementales confirment que l'Inde a joué un rôle crucial en vue d'établir le lien entre le transfert d'argent et le rôle dans cette affaire du chef de l'ISI maintenant destitué. Sans plus de détails, ces autorités affirment que les renseignements que l'Inde a pu fournir, notamment le numéro du téléphone cellulaire de Omar Cheikh, ont aidé le Federal Bureau of Investigation (FBI) à retracer ce lien et à l'établir.

L'existence d'un lien direct entre l'ISI et l'attentat contre le World Trade Centre pourrait être lourde de conséquences. Les États-Unis ne peuvent s'empêcher de soupçonner que d'autres officiers supérieurs de l'armée pakistanaise ont pu être au courant de l'affaire. La preuve d'un complot plus étendu pourrait ébranler la confiance des États-Unis dans l'aptitude du Pakistan à participer à la coalition antiterroriste[18].

Selon les dossiers du FBI, Mohammed Atta était « le pirate de l'air aux commandes de l'avion de ligne qui a frappé de plein fouet la première tour du

World Trade Centre et il aurait, semble-t-il, dirigé la conspiration[19] ».

L'article du *Times of India* est fondé sur un compte rendu officiel des services de renseignements de l'Inde transmis à Washington par les canaux officiels. L'Agence France-Presse (AFP) donne à cet égard la confirmation suivante :

> Une source gouvernementale haut placée a déclaré à l'AFP que le « lien accablant » entre le général et le transfert de fonds à Atta faisait partie de l'information que l'Inde a officiellement transmise aux États-Unis. « Les données que nous avons fournies aux États-Unis ont beaucoup plus d'envergure et de profondeur qu'une simple feuille de papier qui aurait relié un général " voyou " à un acte de terrorisme malencontreux[20]. »

L'information contenue dans le compte rendu des services de renseignements de l'Inde à propos du transfert d'argent par l'ISI pakistanais est corroborée par l'enquête du FBI faisant suite au 11 septembre. Sans toutefois mentionner le rôle de l'ISI pakistanais, le FBI signale une connexion avec le Pakistan et « les gens associés à Oussama ben Laden » qui sont les présumés bailleurs de fonds des terroristes :

> En ce qui concerne le 11 septembre, les autorités fédérales ont affirmé à ABC News qu'elles ont pu retracer plus de 100 000 $ provenant de banques pakistanaises, qui ont été versés à deux banques de Floride dans des comptes appartenant au chef présumé des pirates de l'air, Mohammed Atta. Ce matin

[29 septembre], le magazine *Time* révèle en outre qu'une partie de ces fonds est arrivée dans les jours précédant les attentats et qu'on peut en retracer l'origine jusqu'à des personnes liées à Oussama ben Laden. Tout cela fait partie des efforts accomplis jusqu'ici par le FBI pour remonter au leader du complot, à ses bailleurs de fonds et à ceux qui ont planifié et orchestré l'attentat[21].

L'Agence de renseignement militaire du Pakistan était-elle dans le coup ?

La révélation du *Times of India* (confirmée par le rapport du FBI) a plusieurs implications. Non seulement on peut établir un lien entre le chef de l'ISI, le lieutenant général Ahmad (présumé bailleur de fonds) et le chef de file des terroristes, Mohammed Atta, mais l'article suggère que d'autres responsables de l'ISI auraient eu des contacts avec les terroristes. Il laisse en outre entendre que les attentats du 11 septembre n'étaient pas un acte de « terrorisme spontané » organisé par une cellule d'al-Qaïda mais qu'ils faisaient plutôt partie d'une opération coordonnée des services de renseignements, émanant de l'ISI pakistanais.

L'article du *Times of India* jette également de la lumière sur la nature des « affaires » que le lieutenant général Ahmad aurait menées lors de sa visite officielle aux États-Unis, durant la semaine qui a précédé les attentats contre le World Trade Centre, ce qui soulève nettement la possibilité que l'ISI avait communiqué avec Mohammed Atta aux États-Unis cette même semaine, au moment précis où le lieutenant général

Mahmoud et sa délégation se trouvaient en prétendue « tournée de consultations routinières » avec des responsables américains. Rappelons que celui-ci est arrivé aux États-Unis le 4 septembre.

Bien que l'enquête du FBI ait révélé la complicité du Pakistan dans les attentats du 11 septembre, l'administration Bush était résolue à obtenir l'appui du gouvernement pakistanais dans sa « guerre contre le terrorisme ».

Une nomination appuyée par les États-Unis

En cherchant à évaluer les présumés liens entre les terroristes et l'ISI, il convient de souligner que la présence du lieutenant général Mahmoud Ahmad à la tête de l'ISI était appuyée par les États-Unis. À titre de directeur de l'ISI depuis 1999, il était en liaison avec ses homologues américains de la CIA, de la Defence Intelligence Agency (DIA) et du Pentagone. Rappelons aussi que depuis la fin de la guerre froide jusqu'à aujourd'hui, l'ISI pakistanais a servi d'aire de lancement aux opérations secrètes de la CIA dans le Caucase, en Asie centrale et dans les Balkans [22].

Autrement dit, le lieutenant général Mahmoud Ahmad servait les intérêts des États-Unis. Son présumé limogeage sous les ordres de Washington ne découlait pas d'un désaccord politique fondamental. Sans le soutien américain acheminé par l'ISI pakistanais, les talibans n'auraient pas pu former un gouvernement en 1996. Le *Jane Defense Weekly* confirme à ce sujet que « la moitié de l'effectif et du matériel des talibans

[provenait] du Pakistan par l'intermédiaire de l'ISI »,
qui était à son tour soutenu par les États-Unis[23].

De plus, l'assassinat du chef de l'Alliance du Nord,
le général Ahmad Shah Massoud — dans lequel l'ISI
aurait trempé — n'allait pas du tout à l'encontre des
objectifs des États-Unis en matière de politique étrangère. Depuis la fin des années 1980, les États-Unis ont
cherché à dérouter et à affaiblir Massoud, perçu
comme un réformateur nationaliste, en procurant de
l'aide aussi bien aux talibans qu'aux combattants
chiites qui faisaient la lutte à Massoud sous la direction
de Gulbuddin Hekmatyar. De plus, Massoud était
soutenu par Moscou.

À la suite de l'assassinat de ce dernier, l'Alliance du
Nord s'est divisée en de nombreuses factions. Massoud
vivant, il serait devenu le chef du gouvernement post-
taliban formé au lendemain des bombardements américains d'octobre 2001.

Tel que corroboré par le Comité des relations internationales de la Chambre des représentants, l'aide américaine acheminée par l'ISI aux talibans et à Oussama
ben Laden fait partie de la politique du gouvernement
des États-Unis depuis la fin de la guerre froide :

> [L]es États-Unis ont pendant tout ce temps soutenu
> les talibans et, ajouterai-je, le font encore [...] Il y a
> au Pakistan un gouvernement militaire [dirigé par
> le président Musharraf] qui est en train d'armer les
> talibans jusqu'aux dents [...] Permettez-moi d'ajou-
> ter que l'aide américaine est toujours allée dans les
> régions tenues par les talibans [...] Nous soutenons
> les talibans, puisque toute notre aide rejoint les

régions qu'ils contrôlent. Et quand des gens de l'extérieur tentent de venir en aide à d'autres régions, notre propre département d'État contrecarre leurs plans [...] Au même moment, le Pakistan a lancé un réapprovisionnement majeur qui a fini par occasionner, voire provoquer, la défaite de presque toutes les forces antitalibans en Afghanistan [24].

Camouflage et complicité ?

L'existence d'un axe « ISI-Oussama-talibans » est du domaine public. (Voir la Figure 4.1.) Le sont également les liens entre l'ISI et des organismes du gouvernement américain, dont la CIA.

Depuis la présidence de Jimmy Carter, Washington s'est servi de l'ISI pakistanais en tant qu'intermédiaire. L'appareil du renseignement militaire du Pakistan est au cœur de l'appui institutionnel au réseau al-Qaïda d'Oussama et aux talibans. Sans cet appui, il n'y aurait pas eu de gouvernement taliban à Kaboul. De même, sans l'aide du gouvernement américain, il n'y aurait pas eu ce puissant appareil du renseignement au Pakistan.

Les hauts responsables du département d'État connaissaient parfaitement le rôle du général Mahmoud Ahmad. Dans la foulée du 11 septembre, l'administration Bush a sciemment recherché la « coopération » de l'ISI qui avait soutenu et encouragé Oussama ben Laden et les talibans.

Les relations de l'administration Bush avec l'ISI pakistanais — y compris ses « consultations » avec le général Mahmoud Ahmad la semaine précédant le

11 septembre — soulèvent la question tant de « camouflage » que de « complicité ». Pendant que Ahmad s'entretenait avec des responsables américains de la CIA et du Pentagone, l'ISI aurait également eu des contacts avec les terroristes du 11 septembre.

Selon le rapport des services de renseignements de l'Inde (évoqué dans *The Times of India*), les auteurs des attentats du 11 septembre avaient des liens avec l'ISI pakistanais, lequel, à son tour, entretenait des rapports étroits avec la CIA, le Pentagone et le département d'État. Cela laisse supposer que des hauts responsables américains étaient au courant des contacts de l'ISI avec le chef de file des terroristes du 11 septembre, Mohammed Atta, et ne sont pas intervenus afin de prévenir les attentats.

À savoir s'il s'agissait de complicité de la part de l'administration Bush, cela reste à démontrer. Le moins qu'on puisse attendre à cette étape, c'est une enquête indépendante sur les événements du 11 septembre. Mais l'administration Bush refuse d'enquêter sur les liens avec l'ISI de même que sur les bailleurs de fonds des attentats, sans mentionner les circonstances précises entourant les attentats du 11 septembre.

Ce dont on est absolument sûr, par contre, c'est que cette guerre n'est pas une « campagne contre le terrorisme international ». C'est bel et bien une guerre de conquête, lourde de conséquences, qui affecte l'avenir de l'humanité. Et la population américaine a été sciemment et délibérément trompée par son gouvernement.

Notes

1. *The Guardian,* Londres, 15 septembre 2001.

2. Reuters, 13 septembre 2001.

3. *The New York Times,* 13 septembre 2001.

4. *Newsweek,* 14 septembre 2001.

5. *The Daily Telegraph,* Londres, 14 septembre 2001.

6. *The New York Times* confirme dans son édition du 13 septembre 2001 la réunion tenue le 12 septembre 2001.

7. *The New York Times,* 13 septembre 2001.

8. Le communiqué de l'Alliance du Nord, émis le 14 septembre 2001, a été cité par Reuters le 15 septembre 2001.

9. Reuters, 13 septembre 2001, c'est nous qui soulignons.

10. Question posée par un journaliste au secrétaire d'État Colin Powell, point de presse du département d'État, Washington DC, 13 septembre 2001.

11. *Ibid.*

12. <www.state.gov/s/ct/rls/pgtrpt/2000/>.

13. Département d'État américain, « Patterns of Global Terrorism », <www.state.gov/s/ct/rls/pgtrpt/2000/>, Washington DC, 2000.

14. Reuters, 13 septembre 2001.

15. *Ibid.*

16. Propos tenus lors d'une conversation téléphonique avec le maire de New York, Rudolph Giuliani, et le gouverneur de l'État de New York, George Pataki, et d'un échange avec des journalistes, *Presidential Papers,* 13 septembre 2001.

17. *The Washington Post,* 23 septembre 2001.

18. *The Times of India,* Delhi, 9 octobre 2001, <www.times ofInde.com/>.

19. *The Weekly Standard,* vol. 7, n° 7, octobre 2001.

20. Agence France-Presse (AFP), 10 octobre 2001.

21. Déclaration de Brian Ross au sujet de l'information lui provenant du FBI, ABC News, *This Week,* 30 septembre 2001.

22. Voir ci-dessus notre analyse de cette question.

23. Cité dans *The Christian Science Monitor*, 3 septembre 1998.

24. Chambre des représentants des États-Unis, Déclaration de Dana Rohrbacher, Témoignages devant le Comité des relations internationales de la Chambre sur « le terrorisme dans le monde et en Asie méridionale », Washington DC, 12 juillet 2000.

CHAPITRE V

Les enjeux de la guerre en Asie centrale

La conquête des réserves pétrolières et des oléoducs

La « Nouvelle Guerre de l'Amérique » consiste à briser les frontières économiques nationales et à étendre le « libre marché ». L'invasion militaire de l'Afghanistan sous la conduite des États-Unis (en collaboration étroite avec la Grande-Bretagne) répond aux intérêts des conglomérats pétroliers anglo-américains alliés aux grands fabricants d'armement américains, les *Big Five*, c'est-à-dire Lockheed Martin, Raytheon, Northrop Grumman, Boeing et General Dynamics.

En matière de défense et de politique étrangère, l'« axe anglo-américain » constitue le moteur des opérations militaires en Asie centrale et au Moyen-Orient. Ce rapprochement entre Londres et Washington est conforme à l'intégration des intérêts économiques britanniques et américains dans le domaine des banques, du pétrole et de l'industrie de la défense. La fusion de British Petroleum (BP) et de l'American Oil Company (AMOCO) pour former le plus vaste conglomérat pétrolier au monde a eu une portée directe sur les relations anglo-américaines et les rapports étroits entre le président américain et le premier ministre britannique. Au lendemain de la guerre de 1999 en Yougoslavie, le géant britannique de l'industrie de l'armement, British Aerospace Systems (BAES), fut intégré au système d'appels d'offres du département de la Défense des États-Unis.

Une guerre planifiée

La Nouvelle Guerre de l'Amérique était en préparation depuis au moins trois ans avant les événements tragiques du 11 septembre. Dès le déclenchement des frappes de 1999 en Yougoslavie, l'« élargissement » de l'alliance militaire occidentale était proclamée avec l'acceptation au sein de l'Organisation du traité de l'Atlantique Nord (OTAN) de la Hongrie, de la Pologne et de la République tchèque. Cette expansion était dirigée contre la Yougoslavie et la Russie.

En avril 1999, à peine un mois après le bombardement de la Yougoslavie, l'administration Clinton annonçait l'extension de la sphère de l'OTAN au cœur de l'ancienne Union soviétique. À l'occasion des cérémonies du 50e anniversaire de l'OTAN, les chefs d'État de la Géorgie, de l'Ukraine, de l'Ouzbékistan, de l'Azerbaïdjan et de la Moldavie étaient réunis en grandes pompes dans l'auditorium Andrew Mellon de Washington. Ils avaient été invités aux trois journées

Encadré 5.1

Voici ce que révèle un reportage de la BBC diffusé peu après les attentats du 11 septembre:
Un ancien secrétaire des Affaires étrangères du Pakistan [M. Naik] a appris de la part du porte-parole américain [à la réunion d'un groupe de contact international sur l'Afghanistan parrainé par l'Organisation des Nations Unies (ONU) à la mi-juillet 2001] qu'une action militaire devait être lancée contre l'Afghanistan vers la mi-octobre [2001] [...] Elle aurait eu pour principal objectif, d'après M. Naik, de renverser le régime taliban [...] Selon M. Naik, Washington devait lancer son opération à partir de bases situées au Tadjikistan, où des conseillers américains se trouvent déjà en poste. Ben Laden allait être « liquidé ou capturé ». L'Ouzbékistan aurait aussi pris part à l'opération [...] On aurait affirmé à M. Naik que si l'action militaire avait lieu, elle se produirait avant les premières neiges en Afghanistan, soit à la mi-octobre au plus tard. Il dit ne pas douter qu'après le bombardement du World Trade Centre, ce plan américain déjà en marche serait mis à exécution d'ici deux ou trois semaines. Il doute par contre que Washington renonce à son plan même si ben Laden lui était livré dès maintenant par les talibans[1].

de célébration de l'OTAN pour marquer la signature du GUUAM (réunissant la Géorgie, l'Ouzbékistan, l'Ukraine, l'Azerbaïdjan et la Moldavie) : une alliance militaire régionale stratégiquement située au carrefour des richesses pétrolières et gazières de la mer Caspienne, « la Moldavie et l'Ukraine offrant des corridors d'exportation [pipelines] vers l'Ouest[2] ». La Géorgie, l'Azerbaïdjan et l'Ouzbékistan ont dès lors annoncé qu'ils se retiraient de l'« union de sécurité » de la Communauté des États indépendants (CEI), qui encadre la coopération militaire entre les ex-républiques soviétiques de même que leurs liens avec Moscou.

La formation du GUUAM (sous les auspices de l'OTAN et financée par l'aide militaire occidentale) visait à fractionner encore davantage la CEI. Bien que terminée officiellement, la guerre froide n'avait pas encore atteint son apothéose : non seulement les membres de ce nouveau groupement politique favorable à l'OTAN ont-ils donné leur accord aux frappes de 1999 en Yougoslavie, mais ils acceptaient aussi une coopération militaire dite « de faible intensité » avec l'OTAN tout en affirmant avec insistance que « le [GUUAM] ne constitue pas une alliance militaire tournée contre un tiers, c'est-à-dire Moscou[3] ». Dominée par les intérêts pétroliers anglo-américains, la formation du GUUAM a pour objectif d'exclure la Russie des gisements pétroliers et gaziers de la mer Caspienne et d'isoler Moscou sur le plan politique.

La militarisation du corridor eurasien

Tout juste cinq jours avant le bombardement de la Yougoslavie (le 19 mars 1999), le Congrès américain adoptait sa Loi sur la Stratégie de la route de la soie (Silk Road Strategy Act), laquelle définit les intérêts économiques et stratégiques des États-Unis dans une région qui s'étend de la Méditerranée à l'Asie centrale. La Stratégie de la route de la soie (SRS) constitue les fondements de l'empire commercial américain le long d'un vaste corridor géographique (voir la carte à la page 114) :

> [...] l'ancienne route de la soie, autrefois artère éco-nomique de l'Asie centrale et de la Transcaucasie, traversait une grande partie du territoire que forment maintenant l'Arménie, l'Azerbaïdjan, la Géorgie, le Kazakhstan, le Kirghizstan, le Tadji-kistan, le Turkménistan et l'Ouzbékistan [...] L'Asie centrale a été il y a 100 ans le théâtre d'un « Grand jeu » où se sont affrontés la Russie tsariste, la Grande-Bretagne colonialiste, la France napoléo-nienne, l'Empire perse et l'Empire ottoman. Les allé-geances étaient peu significatives au cours de ces luttes impériales où aucun empire n'était à même de l'emporter. Cent ans plus tard, l'effondrement de l'Union soviétique a déclenché un nouveau Grand jeu où les intérêts de la Compagnie des Indes orien-tales ont cédé le pas à ceux d'Unocal et de Total [des pétrolières] ainsi que de nombreuses autres organisations et entreprises. Aujourd'hui, il est question des intérêts d'un nouvel acteur dans ce nouveau Grand jeu, les États-Unis. Les cinq anciennes républiques soviétiques de l'Asie centrale, soit le

Le corridor eurasien

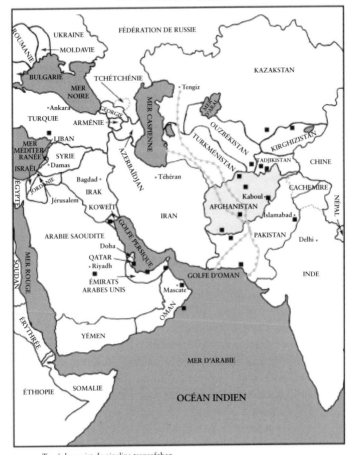

- ○—○ Tracé du projet de pipeline transafghan
- ■ Bases aériennes de la *U.S. Air Force et pistes d'atterrissage*

Échelle : 2,5 cm = 640 km

Droits d'auteur © Global Outlook™

Sources: *Air Forces*, n° 167, février 2002, et *National Geographic.*

Kazakhstan, le Kirghizistan, le Tadjikistan, le Turkménistan et l'Ouzbékistan [...] souhaitent établir des relations avec les États-Unis. Le Kazakhstan et le Turkménistan possèdent, dans la région et au large de la mer Caspienne, de vastes gisements de pétrole et de gaz naturel qu'ils veulent exploiter sans délai. L'Ouzbékistan a des réserves pétrolières et gazières [...][4]

Dans le cadre de la SRS, l'objectif de Washington est d'ébranler, voire de déstabiliser leurs concurrents dans le secteur du pétrole, en particulier la Russie, l'Iran et la Chine :

Les objectifs établis de la politique américaine touchant les ressources énergétiques de cette région sont notamment de favoriser l'indépendance des États [issus de l'ancienne Union soviétique] et leurs liens avec l'Occident ; de rompre le monopole de la Russie sur l'acheminement du pétrole et du gaz naturel ; de promouvoir la sécurité énergétique de l'Ouest par la diversification de ses fournisseurs ; d'encourager l'aménagement de pipelines d'est en ouest sans passer par l'Iran, et d'empêcher l'Iran d'exercer un quelconque pouvoir sur les économies d'Asie centrale.

[...]

L'Asie centrale semble offrir d'intéressantes perspectives d'investissement à des compagnies américaines de différents secteurs, lesquelles serviront à leur tour de précieux stimulant au développement économique de la région. Le Japon, la Turquie, l'Iran, l'Europe de l'Ouest et la Chine y voient également une occasion pour leur développement économique et s'opposent à la domination russe dans la région. Il est essentiel que les architectes de la politique américaine comprennent quels sont les enjeux en Asie centrale, et que nous devons nous efforcer de mettre au point une politique qui répond aux intérêts des États-Unis et des milieux d'affaires américains [5].

Tandis que la SRS ouvre la voie à l'intégration des ex-républiques soviétiques à l'empire économique des États-Unis, l'alliance militaire du GUUAM définit la « coopération » en matière de défense y compris l'établissement de bases militaires américaines dans les anciennes républiques soviétiques. Sous l'égide du GUUAM, les États-Unis ont établi en Ouzbékistan une base militaire qui a servi d'aire de lancement pour l'invasion de l'Afghanistan en 2001.

La SRS prévoit la formation, sous la protection de Washington — et donc en opposition à Moscou — de *« liens étroits dans les domaines de la politique, de l'économie et de la sécurité entre les pays de Transcaucasie et d'Asie centrale ».*

Guidées encore par le gouvernement américain qui collabore étroitement avec le Fonds monétaire international (FMI) et la Banque mondiale, ces anciennes républiques soviétiques sont appelées à instaurer

des économies de marché et des régimes démocratiques dans les pays de Transcaucasie et d'Asie centrale [lesquels] offriront de véritables incitatifs à l'investissement privé international, à l'accroissement du commerce et à d'autres formes d'interaction commerciale [...][6]

Reposant sur la puissance militaire des États-Unis, la stratégie a pour objectif d'ouvrir une vaste région géographique aux entreprises et aux institutions financières américaines. Son but tel qu'énoncé est de « promouvoir la libéralisation politique et économique », y compris l'adoption des réformes préconisées par le FMI, la Banque mondiale et l'Organisation mondiale du commerce (OMC).

Dans une région qui s'étend de la mer Noire à la frontière chinoise, l'objectif de la SRS est d'instaurer sous le contrôle des États-Unis une « zone de libre-échange » composée de huit anciennes républiques soviétiques. Cet immense corridor — qui gravitait jusqu'à récemment dans l'orbite économique et géopolitique de Moscou — serait transformé à moyen terme en une mosaïque de protectorats américains.

Par ailleurs, la SRS désigne également Israël comme partenaire des États-Unis dans ce processus de colonisation du « corridor eurasien » :

> Plusieurs des pays de Transcaucasie ont des gouvernements musulmans laïques qui cherchent à se rapprocher des États-Unis et entretiennent des relations diplomatiques cordiales avec Israël[7].

La politique pétrolière

L'Afghanistan revêt un caractère stratégique à plusieurs titres. Il est non seulement au carrefour de la Route de la soie qui relie le Caucase à la frontière occidentale de la Chine, mais encore il se situe à proximité de cinq puissances nucléaires : la Chine, la Russie, l'Inde, le Pakistan et le Kazakhstan.

À peine un mois après le début des bombardements de l'Afghanistan (octobre 2001), un « gouvernement » intérimaire désigné sur les ordres de Washington par la « communauté internationale » fut mis en place à Kaboul. L'objectif visé par Washington est de militariser l'Afghanistan grâce à la présence permanente de troupes dites du « maintien de la paix ».

L'Afghanistan se situe stratégiquement à la croisée de différents corridors de pipelines et de gazoducs. Il constitue également un véritable « pont terrestre » dans le cadre du projet de gazoduc provenant de l'ex-république soviétique du Turkménistan. Ce gazoduc, qui fut l'objet de négociations entre la compagnie Unocal et le gouvernement taliban, devait traverser l'Afghanistan pour aboutir sur la côte pakistanaise de la mer d'Arabie. (Voir le Chapitre VI pour de plus amples détails.)

> Les anciennes républiques soviétiques d'Asie centrale — le Turkménistan, l'Ouzbékistan et, en particulier, le « Nouveau Koweït » que constitue le Kazakhstan — possèdent de vastes gisements pétroliers et gaziers. Mais la Russie a refusé aux États-Unis d'en faire l'exportation au moyen de ses pipelines, et l'Iran constituait un parcours considéré comme dangereux. Il restait donc l'Afghanistan. La pétrolière américaine Chevron — dont le conseil d'administration a eu pour membre au cours des années 1990 la conseillère de M. Bush en

matière de sécurité nationale, Condoleezza Rice —
est profondément engagée au Kazakhstan. En 1995,
une autre société américaine, Unocal (autrefois
appelée Union Oil Company of California), a conclu
un marché d'exportation de gaz naturel de 8 milliards de dollars qui serait acheminé grâce à un
gazoduc de 3 milliards de dollars allant du Turkménistan au Pakistan en passant par l'Afghanistan [8].

Les réserves pétrolières et gazières du « corridor
eurasien » sont considérables, équivalentes au moins
à celles du golfe Persique [9] :

> La région de Transcaucasie et d'Asie centrale pour-
> rait produire du pétrole et du gaz naturel en quan-
> tité suffisante pour réduire la dépendance énergé-
> tique des États-Unis à l'égard de la région du golfe
> Persique considérée comme instable au niveau
> politique. Les États-Unis devraient axer étroitement
> leur politique étrangère et leur aide internationale
> sur l'appui à l'indépendance économique et poli-
> tique des pays de Transcaucasie et d'Asie centrale,
> de même que sur la mise en valeur dans ces pays de
> la démocratie, du libre-échange et des droits de
> la personne, et sur l'intégration de l'économie
> régionale [10].

L'administration Bush perçoit, comme le faisait
l'administration Clinton, la « conjoncture politico-
militaire » de la région comme un obstacle aux intérêts américains :

> [Cette région] est convoitée par des États qui s'y
> livrent une lutte d'influence. Il n'y a pas que la Russie

car la Chine, la Turquie, l'Iran, le Pakistan et l'Arabie saoudite s'y font aussi concurrence, souvent de façon non constructive [...] Si nous ne parvenons pas avec nos alliés à maîtriser les enjeux, l'exportation du pétrole et du gaz naturel vers nos marchés sera sporadique sinon irréalisable, et beaucoup plus coûteuse. En même temps, l'instabilité politique qui s'ensuivrait pourrait transformer les deux régions en un foyer de guerres civiles et de violence politique qui s'étendrait inévitablement aux États voisins. Déjà que dans la région du golfe Persique la situation exige l'engagement militaire des États-Unis, il nous serait très difficile de maintenir une influence politique, même par la voie militaire, si la Russie, la Chine, l'Iran, la Turquie, le Pakistan et certains États arabes de Transcaucasie ou d'Asie centrale entraient en conflit[11].

Autrement dit, la mise en œuvre de la SRS exige en même temps, pour sa réussite, la « militarisation » du corridor eurasien de manière à pouvoir contrôler les vastes réserves pétrolières et gazières et à « protéger » le réseau d'approvisionnement pour le compte des pétrolières anglo-américaines : « Un bon régime pétrolier international est une combinaison de mesures économiques, politiques et militaires tendant à soutenir la production du pétrole et son acheminement sur les marchés[12]. »

Ainsi que l'affirmait un (ancien) « analyste politique » de la Central Intelligence Agency (CIA) :

Quiconque pourra contrôler les différents types de pipelines ainsi que les investissements dans la région pourra excercer un certain pouvoir géopolitique. Ce pouvoir constitue un objectif en soi, même sans mainmise proprement dite sur le pétrole. Pour une bonne partie du tiers-monde c'est une nouvelle façon de concevoir le contrôle des ressources ; il ne s'agit plus de l'Allemagne hitlérienne qui tente d'envahir le Caucase en vue d'utiliser le pétrole à ses propres fins, comme durant la Seconde Guerre mondiale [13].

En vertu de la Loi sur la SRS, Washington s'engage à « *favoriser la stabilité dans cette région vulnérable aux pressions politiques et économiques du Sud, du Nord et de l'Est* », ce qui laisse entendre que la « menace à la stabilité » ne provient pas uniquement de Moscou (au nord) mais aussi de la Chine (à l'est) ainsi que de l'Iran et de l'Irak au sud. La SRS tend également à empêcher les anciennes républiques soviétiques de former des liens économiques, politiques et militaires avec la Chine, l'Iran, la Turquie et l'Irak.

Les opérations secrètes pour le compte des géants du pétrole

Sous l'administration Bush, les géants du pétrole américains exercent une influence sur la planification des opérations militaires et du renseignement. Le puissant lobby pétrolier du Texas a fait nommer d'anciens dirigeants de sociétés à des postes clés de la défense et de la politique étrangère :

La famille du président George W. Bush dirige des compagnies pétrolières depuis 1950. Le vice-président Dick Cheney a été vers la fin des années

1990 le PDG de Halliburton, la plus grande entreprise de services pétroliers au monde. La conseillère
en matière de sécurité nationale, Condoleezza Rice,
était membre du conseil d'administration de
Chevron qui avait d'ailleurs baptisé un pétrolier en
son honneur. Le secrétaire au Commerce, Donald
Evans, fut pendant plus d'une décennie le PDG de
Tom Brown Inc. — une compagnie de gaz naturel
qui possède des gisements au Texas, au Colorado
et dans le Wyoming. Les liens ne s'arrêtent pas au
personnel. La famille ben Laden et d'autres membres de la riche élite pétrolière d'Arabie saoudite
ont participé [à titre d'actionnaires] à plusieurs
entreprises de la famille Bush, même au moment
où l'industrie énergétique américaine aidait Bush à
accéder au pouvoir. Parmi les 10 plus grands
financiers à avoir soutenu les efforts de guerre de
George W., 6 proviennent du secteur pétrolier ou y
sont associés[14].

La protection des pipelines

Dans le contexte du GUUAM et de la SRS, Washington a encouragé la formation d'États fantoches
(proaméricains) positionnés le long des pipelines. Ces
gouvernements jouissent également de la « protection »
de l'OTAN en vertu du GUUAM et de diverses autres
ententes de coopération militaire. L'objectif recherché
par Washington est d'exclure les Russes du bassin de
la mer Caspienne et des gisements pétroliers et gaziers.

La stratégie des géants du pétrole consiste à prendre
le contrôle, aussi bien des réserves pétrolières de

l'Azerbaïdjan que des différents corridors de pipelines, à partir de la capitale, Bakou, située sur la côte caspienne.

Un régime proaméricain fut instauré en 1993 en Azerbaïdjan, sous la présidence de Heidar Aliev. Lors du coup d'État militaire qui l'a porté au pouvoir, Aliev — un ancien responsable du KGB (l'organisation chargée de la sécurité nationale en Union soviétique) et membre du politburo du Parti communiste — s'était allié à Souret Housseinov, chef du clan Jadovov.

En 1994, « le marché du siècle » touchant le développement des champs pétrolifères dans la région de Bakou fut conclu avec le consortium pétrolier BP-AMOCO. Le clan Aliev avait la main haute sur la SOCAR, la société pétrolière de l'État, formant une coentreprise avec le consortium. Outre ses liens avec le trafic des stupéfiants, l'État azéri était présumément impliqué dans un marché noir fort rentable de vente de matières premières, notamment de métaux comme le cuivre et le nickel.

Des institutions financières occidentales dont la Banque mondiale ont participé activement à l'ouverture des gisements pétroliers et gaziers de l'Azerbaïdjan aux transnationales occidentales. Des membres de la classe politique azérie ainsi que des fonctionnaires ont touché de généreux pots-de-vin. La criminalisation de l'État azéri a facilité de beaucoup l'entrée de capitaux étrangers:

> Les dirigeants de l'Azerbaïdjan sont invités à de
> somptueux dîners aux frais de la compagnie

pétrolière alors que 600 000 Azerbaïdjanais vivent dans la misère la plus abjecte [...] Les compagnies pétrolières tentent d'obtenir des faveurs auprès des dirigeants azéris qui sont prêts à brader les ressources de leur pays en échange de bénéfices personnels [...] Tandis qu'à Bakou le régime Aliev touchait plus de 6 milliards de dollars en boni pour la conclusion de l'accord — somme de loin supérieure à l'aide et aux investissements obtenus en Géorgie et en Arménie réunies — des Azerbaïdjanais vivent encore dans des camps de réfugiés[15].

Dans le but d'atténuer le contrôle de Moscou sur le pétrole de la mer Caspienne, des « tracés de remplacement » furent envisagés pour les différents pipelines. L'oléoduc Bakou-Supsa — inauguré en 1999 pendant la guerre en Yougoslavie — est protégé (du point de vue militaire) par le GUUAM. En outre, il évite entièrement le territoire russe. Le pétrole est transporté par oléoduc de Bakou jusqu'au port géorgien de Supsa d'où il est ensuite expédié par pétrolier jusqu'au terminal de Pivdenny près d'Odessa, en Ukraine. La Géorgie et l'Ukraine font toutes deux partie de l'alliance militaire du GUUAM.

Le terminal de Pivdenny fut — avec l'accord du gouvernement (néofasciste) du président Leonid Koutchma — financé par des prêts occidentaux. De là, le pétrole peut être acheminé par un oléoduc qui « rejoint le tronçon sud, déjà construit, de l'oléoduc Druzhba traversant la Slovaquie, la Hongrie et la République tchèque[16] ».

L'« élargissement » de l'OTAN, annoncé peu de temps avant l'inauguration de l'oléoduc Bakou-Supsa, garantit également la protection des tronçons de liaison qui se trouvent en territoire hongrois et tchèque. Autrement dit, tout le réseau de pipelines depuis le bassin de la mer Caspienne jusqu'en Europe occidentale traverse des pays placés sous la protection de l'OTAN.

La Tchétchénie à la croisée des pipelines stratégiques

À l'époque de la Russie soviétique, le réseau de pipelines reliait le port azéri de Bakou, sur la pointe méridionale de la mer Caspienne, à Tikhoretsk via Groznyï. Ce réseau contrôlé par l'État russe se termine à Novorossisk sur la mer Noire. Et la Tchétchénie est située à la croisée de cet oléoduc stratégique.

À l'ère soviétique, Novorossisk était le terminal des oléoducs provenant du Kazakhstan et de l'Azerbaïdjan. Depuis la fin de la guerre froide et l'ouverture des gisements pétrolifères de la Caspienne aux capitaux étrangers, Washington tente d'inclure l'Ukraine et la Géorgie dans sa sphère d'influence. Leur appartenance à l'alliance militaire du GUUAM est cruciale pour les projets de pipelines de l'Occident, lesquels doivent contourner le terminal de Novorossisk, de même que pour réduire l'influence de Moscou sur les pipelines qui traversent son propre territoire.

Dès la fin de la guerre froide, Washington encourageait la sécession de la Tchétchénie du reste de la Fédération de Russie en acheminant de l'aide — dans le cadre des opérations en sous-main de la CIA — aux deux principales factions rebelles. Les insurrections islamistes en Tchétchénie ont reçu l'appui du réseau al-Qaïda d'Oussama ben Laden et des Services de renseignements militaires du Pakistan (ISI).(Voir le Chapitre II.)

En 1994, Moscou est entré en guerre afin de protéger son pipeline stratégique menacé par les forces rebelles tchétchènes. En août 1999, le pipeline a été mis temporairement hors service quand l'armée rebelle tchétchène envahissait le Daghestan. Suite à ces événements, le Kremlin expédiait des troupes fédérales en Tchétchénie.

Tout indique que la CIA était derrière les rebelles tchétchènes, s'étant servie de l'ISI pakistanais comme intermédiaire. À cet égard, les « intentions cachées » de Washington consistaient à affaiblir le contrôle des pétrolières russes et de l'État russe sur les pipelines traversant la Tchétchénie et le Daghestan. Ce que cherche Washington, ultimement, c'est de séparer le Daghestan et la Tchétchénie de la Fédération de Russie, ce qui placerait une grande partie du territoire qui va de la mer Caspienne à la mer Noire sous la « protection » de l'alliance militaire occidentale. Selon ce scénario, la Russie serait écartée de la mer Caspienne. Tout le réseau actuel et futur de pipelines et de voies de transport entre la mer Caspienne et la mer Noire serait ainsi entre les mains des géants du pétrole anglo-américains. Par conséquent, les opérations secrètes menées par l'ISI pakistanais en vue de soutenir les forces rebelles tchétchènes servent, ici encore, les intérêts des grandes pétrolières anglo-américaines.

Le consortium BP-Amoco

Avec l'appui de BP-Amoco, le président Aliev de l'Azerbaïdjan s'est installé en distribuant des parcelles de pouvoir à des membres de sa famille. On estime qu'un investissement de 8 milliards de dollars en Azerbaïdjan, devrait rapporter au delà de 40 milliards de dollars aux pétrolières occidentales[17]. BP-Amoco cherchait à l'emporter sur son concurrent russe, Lukoil. Le consortium anglo-américain dirigé par BP-Amoco comprend aussi Unocal, McDermott and Pennzoil et la société turque TPAO. Unocal était également impliqué dans le projet de pipeline transafghan. (Voir le Chapitre VI.)

Le consortium BP-Amoco possède 60 % des actions de la Azerbaidjani International Operating Corporation (AIOC). En 1997, dans le cadre d'un autre projet pétrolier, le vice-président Al Gore avait facilité la conclusion d'un important contrat avec SOCAR, la compagnie nationale du pétrole de la République d'Azerbaïdjan, ce qui a permis à Chevron (maintenant intégrée à Texaco) de s'emparer d'immenses réserves pétrolifères dans le sud de la mer Caspienne[18]. Chevron est aussi engagée dans la région septentrionale de la Caspienne, au Kazakhstan, par le biais de la coentreprise Tengizchevroil. C'est donc dire qu'avant la campagne présidentielle de 2000 où George W. Bush s'opposait à Al Gore, les deux candidats avaient déjà pris des engagements envers deux conglomérats pétroliers en concurrence dans le bassin de la mer Caspienne.

L'affrontement entre les intérêts pétroliers européens et anglo-américains

Les pétrolières anglo-américaines, soutenues par la puissance militaire américaine, font concurrence au géant européen Total-Fina-Elf, associé à la pétrolière italienne ENI, acteur important au Kazakhstan, dans les riches gisements pétrolifères du Kashagan au nord-est de la mer Caspienne. Les enjeux sont énormes : on dit que les réserves du Kashagan sont « si vastes qu'elles pourraient dépasser celles de la mer du Nord[19] ».

Toutefois, le consortium européen ne contrôle pas le transport du pétrole extrait du bassin de la mer Caspienne, lequel doit se rendre (par oléoduc) à la mer Noire et traverser les Balkans avant d'atteindre l'Europe de l'Ouest. Les projets de pipeline sont en bonne partie entre les mains de ses rivales anglo-américaines.

Le consortium franco-belge Total-Fina-Elf, en partenariat avec l'ENI italienne, a aussi des investissements considérables en Iran. Total a créé — avec Gazprom de Russie et Petronas de la Malaisie — une coentreprise avec la compagnie nationale iranienne des pétroles (NIOC). Comme il fallait s'y attendre, Washington a cherché à maintes reprises à rompre l'entente de la France avec Téhéran sous prétexte qu'elle violait la Loi sur les sanctions contre l'Iran et la Libye.

Ce qu'il faut en déduire, c'est que le plus grand conglomérat pétrolier d'Europe, dominé par des intérêts franco-italiens — en association avec des partenaires iraniens et russes — pourrait entrer en collision avec les principaux consortiums pétroliers anglo-américains, appuyés par Washington.

Les transnationales russes du pétrole

Tout en tissant des liens avec le consortium franco-italien, les grandes pétrolières russes participent néanmoins dans des coentreprises avec les groupes anglo-américains. Bien que les pétrolières russes soient protégées par l'État russe et ses forces armées, plusieurs d'entre elles et parmi les majeures (dont Lukoil et la société d'État Rosneft) participent à titre de partenaires subalternes[*] aux projets de pipelines anglo-américains.

Les compagnies de pétrole anglo-américaines ont fermement l'intention de prendre le contrôle des compagnies russes pour enfin écarter la Russie du bassin de la mer Caspienne. Par ailleurs, ces groupes anglo-américains rivalisent avec le consortium franco-italien qui a, pour sa part, des liens avec des intérêts russes et iraniens.

La militarisation du corridor eurasien s'inscrit tout à fait dans les plans de la politique étrangère de Washington. À cet égard, les efforts des États-Unis en vue de contrôler le corridor eurasien des pipelines en faveur des géants du pétrole anglo-américains ne visent pas uniquement la Russie ; ils ont aussi pour but d'affaiblir les intérêts pétroliers européens en Transcaucasie et en Asie centrale.

---

[*] N.D.T. : En anglais, « *junior partners* ».

Notes

1. George Arney, « US planned attack on Taleban », BBC, 18 septembre 2001.

2. *Financial Times*, Londres, 6 mai 1999, p. 2.

3. *Ibid.*

4. Congrès américain, Audiences sur les intérêts américains dans les républiques d'Asie centrale, Chambre des représentants, Sous-comité sur l'Asie et le Pacifique, Comité des relations internationales, <commdocs.house.gov/committees/intlrel/hfa48119.000/hfa48119_of.htm>, Washington DC, 12 février 1998.

5. *Ibid.*

6. Congrès américain, Silk Road Strategy Act, 106ᵉ congrès, 1ʳᵉ session, S. 579, « To Amend the Foreign Assistance Act of 1961 to Target Assistance to Support the Economic and Political Independance of the Countries of the South Caucasus and Central Asia », Sénat américain, Washington DC, 10 mars 1999.

7. *Ibid.*

8. Lara Marlowe, « US Efforts to Make Peace Summed Up by 'Oil' », *Irish Times*, 19 novembre 2001.

9. William E. Odom, « US Policy Toward Central Asia and the South Caucasus », *Caspian Crossroads Magazine*, vol. 3, nᵒ 1, été 1997.

10. *Ibid.*

11. *Ibid.*

12. Robert V. Baryiski, « The Caspian Oil Regime : Military Dimensions », *Caspian Crossroads Magazine*, vol. 1, nᵒ 2, printemps 1995.

13. Graham Fuller, « Geopolitical Dynamics of the Caspian Region », *Caspian Crossroads Magazine,* vol. 3, n° 2, automne 1997.

14. Damien Caveli, « The United States of Oil », Salon.com, 19 novembre 2001.

15. The Great Game, Aliev.com, <www.Aliev.com/Aliev/fact_07.htm>, 9 janvier 2000.

16. Bohdan Klid, *Ukraine's Plans to Transport Caspian Sea and Middle East Oil to Europe,* Institut canadien d'études ukrainiennes, Université de l'Alberta, Edmonton, sans date. Voir également Energy Information Administration (EIA), <www.eia.doe.gov/emeu/cabs/russpip.html>.

17. Voir Richard Hottelet, « Tangled Web of an Oil Pipeline », *The Christian Science Monitor*, 1er mai 1998.

18. PR News Wire, 1er août 1997.

19. Richard Giragosian, « Massive Kashagan Oil Strike Renews Geopolitical Offensive in Caspian », *The Analyst,* Central Asia-Caucasus Institute, Johns Hopkins University-Paul H. Nitze School of Advanced International Studies, 7 juin 2000.

CHAPITRE VI

Le pipeline transafghan

PAR SA STRATÉGIE de la route de la soie (SRS), Washington ne cherche pas seulement à exclure la Russie des gazoducs et oléoducs partant du bassin de la mer Caspienne en direction ouest, mais encore à exercer un contrôle anglo-américain sur les « corridors stratégiques » allant vers le sud et vers l'est.

Cette stratégie consiste à isoler puis, finalement, à « encercler » les anciennes républiques soviétiques. Par le soutien qu'il apporte aux mégapétrolières, Washington vise donc également à empêcher les anciennes républiques de conclure des contrats touchant les pipelines (ou des ententes de coopération militaire) avec l'Iran et la Chine.

Selon la Heritage Foundation, un *think tank* conservateur dont le siège social se trouve à Washington, la ronde diplomatique menée par les Américains auprès des talibans avait entre autres pour but de tenter d'empêcher la construction d'un pipeline sur le territoire iranien et de réduire l'influence russe au Turkménistan et au Kazakhstan [1].

Avec l'appui de l'administration Clinton, la géante californienne Unocal avait conçu en 1995 le tracé d'un gazoduc qui aurait, à partir du Turkménistan, traversé l'Afghanistan et le Pakistan pour atteindre la mer d'Arabie. Unocal est aussi engagée dans le projet d'oléoduc Bakou-Ceyhan allant d'est en ouest, de l'Azerbaïdjan puis à travers la Turquie et la Géorgie, avec British Petroleum (BP) qui possède des intérêts majoritaires dans le consortium.(Voir le Chapitre V.)

Le consortium CentGas

En transitant par l'Afghanistan, le gazoduc CentGas que projetait Unocal aurait évité la voie plus directe vers le sud à travers l'Iran. En plus du gazoduc, Unocal envisageait la construction d'un oléoduc afin de transporter le pétrole provenant des vastes gisements du Kazahkstan dans la région de Tenghiz, au nord de la mer Caspienne, vers la mer d'Arabie.

Même si la pétrolière russe Gazprom faisait partie du consortium CentGas, sa participation n'était pas significative [2]. Il s'agissait, en somme, d'affaiblir aussi Gazprom qui contrôle les gazoducs en direction nord en provenance du Turkménistan, et de saper l'entente conclue entre la Russie et le Turkménistan relative à l'exportation du gaz turkmène par le réseau des gazoducs russes.

Son premier tour de négociations terminé avec le président Nyazov du Turkménistan, Unocal entamait des pourparlers avec les talibans [3]. Entre-temps, l'administration Clinton décidait d'appuyer l'établissement d'un gouvernement taliban à Kaboul en 1996, au détriment de l'Alliance du Nord protégée par Moscou qui lui assurait d'importantes livraisons de matériel militaire :

> Impressionnés par la volonté inébranlable des talibans, alors en pleine ascension, de conclure un contrat relatif à un gazoduc, le département d'État et l'appareil des services de renseignements du Pakistan ont accepté de fournir armes et capitaux aux talibans qui menaient la guerre aux Tadjiks de l'Alliance du Nord. Si bien que pas plus tard qu'en 1999, les contribuables américains assumaient intégralement le salaire annuel du moindre fonctionnaire du gouvernement taliban [...] [4]

Pendant ce temps, les Russes procuraient un support logistique et des fournitures militaires au commandant Massoud de l'Alliance du Nord, à partir de leurs bases militaires situées au Tadjikistan. Lorsque Kaboul est finalement tombée aux mains des talibans avec le soutien du Pakistan allié des Américains, en septembre 1996, le porte-parole du département d'État, Glyn Davies, a déclaré que les États-Unis ne voyaient « rien de répréhensible » dans les mesures prises par les talibans en vue d'imposer la loi islamique. De l'avis du sénateur Hank Brown, partisan du projet d'Unocal, « ce qu'il y a de bien dans ce qui s'est produit, c'est que l'une des factions semble être capable de mettre sur pied un gouvernement à Kaboul ». Quant à Unocal, son vice-président Martin Miller qualifiait de « positive » la réussite des talibans [5].

> Quand les talibans ont pris Kaboul en 1996, Washington n'a rien dit. Pourquoi ? Parce que les leaders talibans se sont vite précipités à Houston (Texas), à l'invitation des dirigeants de la pétrolière Unocal [...] Un diplomate américain s'est dit d'avis que les talibans allaient sans doute « évoluer à la façon des Saoudiens ». D'après lui, l'Afghanistan deviendrait une colonie pétrolière américaine où l'Ouest réaliserait des profits énormes, où il n'y aurait pas de démocratie et où les femmes seraient légalement persécutées. « On peut s'y faire », a-t-il ajouté [6].

L'acceptation par Washington du régime taliban aux dépens de l'Alliance du Nord faisait partie du « Grand jeu » mettant aux prises les conglomérats russes et américains pour la maîtrise des réserves pétrolières et gazières ainsi que du réseau de pipelines à partir du Kazakhstan et du Turkménistan.

Au début de 1997, des délégués talibans se trouvaient dans les bureaux d'Unocal au Texas :

> Barry Lane [d'Unocal] affirme ne pas avoir pris part à la rencontre du Texas et ne pas savoir si l'ex-gouverneur George W. Bush, qui avait jadis des intérêts dans l'industrie du pétrole, était impliqué dans le projet. Selon la porte-parole de la Unocal pour l'Asie centrale, Teresa Covington, le consortium avait essentiellement trois messages à livrer

au groupe afghan. « Nous leur avons fourni les détails touchant le tracé envisagé. Nous les avons également renseignés sur les avantages qu'ils pourraient retirer du projet, notamment les droits de passage qui leur seraient versés, a-t-elle dit. Et nous avons insisté sur le fait que le projet ne pourrait pas aller de l'avant tant qu'ils n'auraient pas stabilisé leur pays et obtenu la reconnaissance politique des États-Unis et de la communauté internationale. »

Selon Covington, cette exigence n'a pas étonné les talibans...

En décembre 1997, Unocal organisait une réunion de haut niveau à Washington entre les talibans et le sous-secrétaire d'État de Clinton pour l'Asie du Sud, Karl Inderforth. Du côté taliban, la délégation se composait du ministre par intérim des Mines et de l'Industrie Ahmad Jan, du ministre par intérim de la Culture et de l'Information Amir Muttaqi, du ministre par intérim de la Planification Din Muhammad et du délégué permanent aux Nations Unies Abdul Hakeem[7].

Deux mois après ces négociations, en février 1998, le vice-président aux relations internationales d'Unocal, John Maresca, faisait valoir lors de son témoignage devant le Comité des relations internationales de la Chambre des représentants « la nécessité d'un réseau de pipelines pour acheminer les ressources pétrolières et gazières d'Asie centrale ». (Voir le Chapitre V.) Ce qui laisse entendre que la politique étrangère des États-Unis dans la région devait viser la déstabilisation de tous les réseaux de pipelines russes (à destination du nord, de l'ouest et du sud), ainsi que ceux contrôlés par l'Iran :

> L'industrie fait face à un obstacle majeur d'ordre technique [et d'ordre politique] en ce qui concerne le transport du pétrole. Étant donné que les gazoducs de la région ont été aménagés à l'ère soviétique où Moscou avait la prédominance, ils tendent à être orientés vers le nord et l'ouest, c'est-à-dire vers la Russie. Il n'y a pas de tronçons allant vers le sud et l'est [...]

> Il s'agit donc de savoir comment transporter les ressources énergétiques de l'Asie centrale vers les marchés asiatiques avoisinants [...] Un tracé évident vers le sud serait celui qui traverserait l'Iran. Cependant les compagnies ne peuvent envisager ce tracé en raison des sanctions imposées par les États-Unis. L'unique solution de rechange serait de passer par l'Afghanistan. Mais cette option pose ses propres défis. Le pays a été ravagé par la guerre pendant près de deux décennies et la guerre civile y fait encore rage. Nous avons tiré les choses au clair dès le début : les travaux concernant le gazoduc que nous proposons de construire en territoire afghan ne seront pas entamés tant qu'il n'existera pas dans ce pays un gouvernement reconnu et qui jouisse de la confiance des autres gouvernements, des bailleurs de fonds et de notre compagnie [...]

> Unocal envisage un pipeline qui ferait partie d'un système régional et qui s'alimenterait en pétrole à partir des infrastructures actuelles au Turkménistan, en Ouzbékistan, au Kazakhstan et en Russie. Cet

oléoduc de 1675 kilomètres de long se dirigerait vers le sud à travers l'Afghanistan pour atteindre un terminal d'exportation qui serait aménagé sur le littoral du Pakistan. L'oléoduc de 107 centimètres de diamètre pourra transporter jusqu'à un million de barils de pétrole par jour. Le coût de ce projet de même envergure que le pipeline Trans-Alaska s'établirait à environ 2,5 milliards de dollars.

Sans un règlement pacifique des conflits en cours dans la région, la construction de l'oléoduc et du gazoduc transafghan demeure improbable. Nous exhortons l'Administration et le Congrès de soutenir fermement le processus de paix entrepris en Afghanistan sous les auspices des Nations Unies. Le gouvernement américain doit user de son influence pour aider à mettre un terme à tous les conflits qui sévissent dans la région[8].

La rivalité entre Unocal et Bridas

Mais il y avait en toile de fond du projet de pipeline d'Unocal un autre élément dont les médias n'ont pas fait état. Les talibans négociaient également avec une pétrolière argentine, la Compagnie énergétique Bridas, « faisant jouer une compagnie contre l'autre[9] ».

Bridas appartenait à la riche et puissante famille Bhulgeroni. Carlos Bhulgeroni est un ami intime de l'ancien président argentin Carlos Menem dont le gouvernement a participé à la mise en œuvre — sur les conseils de la Banque mondiale — d'une vaste déréglementation du secteur pétrolier et gazier de l'Argentine, déréglementation qui a contribué à enrichir la famille Bhulgeroni.

En 1992 — longtemps avant l'entrée en scène d'Unocal — la compagnie Bridas avait obtenu des droits d'exploration pétrolière dans l'est du Turkménistan ; l'année suivante, elle se voyait octroyer le bloc pétrolier et gazier de Keimir dans l'ouest du Turkménistan. Washington y a vu un empiètement. L'administration Clinton a réagi à l'avancée de Bridas en Asie centrale en dépêchant l'ancien secrétaire d'État Alexander Haig pour qu'il fasse pression afin « d'accroître les investissements américains » au Turkménistan[10]. Quelques mois plus tard, Bridas ne pouvait plus exporter de pétrole provenant du bloc de Keimir.

Unocal et Bridas se livraient une lutte d'influence politique. Alors que Bridas jouissait d'une longueur d'avance grâce à ses négociations avec les dirigeants turkmènes, Unocal avait l'appui du gouvernement américain qui agissait non seulement par la voie diplomatique, mais également par des opérations clandestines en sous main afin de nuire à Bridas.

En août 1995, en pleine guerre civile afghane, les représentants de Bridas ont rencontré des responsables talibans pour discuter du projet de pipeline. Peu après, le président turkmène Saparmurat Nyazov était invité à New York (en octobre 1995) pour signer un accord avec Unocal et sa partenaire du consortium CentGas, la pétrolière saoudienne Delta Oil. L'accord portait la signature du président Nyazov du Turkménistan et de John F. Imle, Jr., président d'Unocal ; le PDG de Delta Oil, Badr M. al-Aiban, agissait à titre de témoin.

Les liens entre Unocal et Oussama

La compagnie saoudienne Delta Oil appartient aux clans ben Mahfouz et Al-Amoudi qui ont des liens étroits avec le réseau al-Qaïda de ben Laden [11]. Il se trouve que la sœur du puissant financier Khalid ben Mahfouz est l'épouse d'Oussama ben Laden.

Fait ironique, le consortium dirigé par Unocal-Delta était investi par des membres de la famille ben Laden qui, par coïncidence, avaient également noué des liens d'affaires avec des membres du Parti républicain, y compris la famille Bush. Il semble en outre que des hauts responsables de Delta Oil ont joué un rôle important dans les négociations avec les talibans. De surcroît, le géant énergétique Enron — dont le PDG Ken Lay avait des liens d'amitié avec la famille Bush — fut chargé d'effectuer pour Unocal une étude de faisabilité. Enron avait également participé aux négociations sur le projet de pipeline avec des responsables du gouvernement taliban [12].

Encadré 6.1

Les liens entre Unocal, la famille ben Laden et la famille Bush

Le principal acteur au sein de Delta Oil (partenaire d'Unocal dans le consortium CentGas) « semble être Mohammed Hussein Al-Amoudi qui supervise à partir de l'Éthiopie un vaste réseau d'entreprises engagées dans la construction, les mines, les banques et le pétrole. Al-Amoudi possède également Corral Petroleum. Les intérêts commerciaux de Al-Amoudi s'entremêlent avec ceux de la famille ben Mahfouz. Celle-ci contrôle la troisième compagnie pétrolière saoudienne en ordre d'importance, Nimir Petroleum[13]. »

L'empire commercial ben Mahfouz entretient des liens étroits avec des membres influents du Parti républicain, notamment la famille Bush. George W. Bush traitait avec Khaled ben Mafhouz lorsqu'il était dans l'industrie du pétrole. Par ailleurs, Bush et Mahfouz furent tous deux impliqués dans le scandale de la Bank of Commerce and Credit International (BCCI).

« En 1979, Bush obtenait pour sa première entreprise, Arbusto Energy, un financement de James Bath, originaire de Houston et proche ami de la famille [...] À l'époque, Bath était aux États-Unis le représentant commercial de Salem ben Laden [frère d'Oussama ben Laden] [...] On a cru longtemps — mais sans pouvoir en faire la preuve — que l'argent destiné à Arbusto provenait directement de Salem ben Laden. Dans une déclaration émise peu après les attentats du 11 septembre, la Maison-Blanche a nié catégoriquement l'existence de cette relation et affirmé que Bath avait investi dans Arbusto son propre argent et non celui de Salem ben Laden.

« Bush a d'abord nié avoir jamais connu Bath, pour ensuite se contredire, reconnaître ses intérêts dans Arbusto et déclarer qu'il savait que Bath représentait des intérêts saoudiens. En fait, Bath a non seulement des liens avec la famille ben Laden, il fut également en liaison avec des intervenants majeurs au sein de la Bank of Commerce and Credit International (BCCI). En dépit du scandale qui a frappé la BCCI, ces intervenants (liés à Bath) ont continué à financer Oussama ben Laden. La BCCI a fraudé ses déposants de 10 milliards de dollars dans les années 1980, dans le cadre de ce qui a été qualifié de " plus grosse fraude bancaire à jamais frapper les milieux financiers " par le procureur du district de Manhattan, Robert Morgenthau. Toujours dans les années 1980, la BCCI a servi de principale courroie au blanchiment d'argent pour les activités clandestines de la CIA [Central Intelligence Agency], lesquelles allaient de l'aide financière accordée aux moudjahidines afghans au paiement d'intermédiaires dans l'affaire de l'Iran et des Contras.

« À la mort de Salem ben Laden en 1988, ses intérêts à Houston sont allés en héritage au puissant banquier saoudien et principal intervenant dans la BCCI, Khalid ben Mahfouz. Bath avait dirigé une entreprise à Houston pour ben Mahfouz et il avait formé un partenariat avec ce dernier et Gaith Pharaon, homme de paille de la BCCI dans la Main Bank de Houston.

« L'affaire Arbusto n'est pas la dernière où Bush soit allé frapper à des portes fort douteuses pour faire financer ses projets. Après maintes transformations, Arbusto s'est réincarnée en 1986 en Harken Energy Corporation. Celle-ci ayant connu des difficultés l'année suivante, le cheik saoudien Abdullah Taha Bakhsh a pris une part de 17,6 % dans la compagnie. Bakhsh était un partenaire d'affaires de Pharaon en Arabie saoudite ; il se trouve qu'il avait pour banquier ben Mahfouz.

« Bush a beau avoir affirmé au *Wall Street Journal* qu'il ignorait que la BCCI était mêlée aux tractations financières de Harken, la toile est si finement tissée entre Bush et la BCCI que le journal a conclu que :

« " Il y a tellement de personnes liées à la BCCI qui ont traité avec Harken — toutes depuis la montée à bord de George W. Bush — qu'il faut se demander si ces initiatives n'avaient pas pour but de caresser dans le sens du poil le fils du président. " Ou le président lui-même : Bath a finalement fait l'objet d'une enquête du Federal Bureau of Investigation (FBI) en 1992 pour ses relations d'affaires avec des Saoudiens, après avoir été accusé de canaliser via Houston de l'argent saoudien en vue d'influencer la politique étrangère de l'administration Reagan et de celle de Bush père.

« Pis encore, ben Mahfouz est soupçonné d'avoir financé le réseau terroriste de ben Laden — ce qui ferait de Bush un citoyen américain ayant fait affaire avec ceux qui financent et soutiennent les terroristes. Selon le quotidien *USA Today*, ben Mahfouz aurait avec d'autres Saoudiens tenté de transférer trois millions de dollars à diverses opérations de façade de ben Laden en Arabie saoudite en 1999. Le réseau ABC signalait la même année que des dirigeants saoudiens avaient empêché ben Mahfouz de consentir directement de l'argent à ben Laden[14]. »

« Il y aurait d'autres liens à faire entre Bush et Mahfouz touchant les investissements dans le Carlyle Group, une société de placement américaine dont le conseil d'administration avait pour membre l'ancien président George Bush. Son fils [George W.] détenait des actions dans une filiale du groupe Carlyle, la compagnie Caterair, entre 1990 et 1994. Et Carlyle figure parmi les principaux bailleurs de fonds de la campagne électorale de George W. Bush. Parmi les membres du conseil consultatif de Carlyle, on remarque le nom de Sami Baarma, directeur de l'institution financière pakistanaise Prime Commercial Bank dont le siège social est à Lahore et qui appartient à Mahfouz[15]. »

Bridas et les talibans

En février 1996, la compagnie énergétique Bridas d'Argentine et le gouvernement provisoire taliban concluent une entente préliminaire. Washington réplique par l'entremise de son ambassade à Islamabad, en exhortant le premier ministre du Pakistan, Benazir Bhutto, de laisser tomber Bridas et de consentir des droits exclusifs à Unocal[16]. Entre-temps, l'administration Clinton acheminait par l'intermédiaire des services secrets du Pakistan, l'ISI, une aide militaire aux forces talibanes. Cet appui a été décisif pour la prise de Kaboul par les talibans en septembre 1996. Après la mise sur pied d'un gouvernement islamique intégriste, Unocal confirmait son intention d'« accorder de l'aide aux seigneurs de la guerre afghans lorsqu'ils auraient accepté de former un conseil chargé de surveiller le projet[17] ».

Entre-temps au Texas, Bridas Energy Corporation réagit en engageant une poursuite de 15 milliards de dollars contre Unocal qu'elle accuse de malversations et d'ingérence pour avoir

> communiqué en secret avec le vice-premier ministre turkmène chargé du pétrole et du gaz naturel [en 1996] au sujet de son propre projet de gazoduc. Le gouvernement turkmène aurait, d'après une source proche de Bridas, pris du jour au lendemain la décision d'interdire à Bridas toute exportation de pétrole provenant de son gisement de Keimir sur la mer Caspienne. La compagnie affirme aussi que le vice-premier ministre a exigé que Bridas, maintenant dépourvue de liquidités, renégocie sa concession.

« Nous avons des preuves écrites des manigances d'Unocal », affirme cette source[18].

BP-Amoco dans la saga du pipeline

En proie à des difficultés financières, Bridas vend 60 % de ses actions à la American Oil Corporation (Amoco) en août 1997, ce qui entraîne la création de la Pan American Energy Corporation. Outre Amoco, les soumissionnaires pour la fusion de Bridas étaient Union Texas Petroleum des États-Unis, Total de France, Shell des Pays-Bas, Endesa d'Espagne et un consortium formé par l'espagnole Repsol et l'américaine Mobil.

Pour Amoco qui a fusionné par la suite avec British Petroleum (BP) en 1998, Bridas était une acquisition précieuse facilitée par Chase Manhattan et Morgan Stanley. L'ex-conseiller en matière de sécurité nationale, Zbigniew Brzezinski, était consultant pour Amoco. Arthur Andersen — le cabinet comptable impliqué dans le scandale d'Enron en 2002 — fut chargé de l'intégration « après fusion[19] ».

BP-Amoco était le principal intervenant dans les projets de pipeline allant du bassin de la mer Caspienne vers l'ouest, notamment le projet controversé de pipeline Bakou-Ceyhan passant par la Géorgie et la Turquie. En faisant l'acquisition de Bridas, le consortium dirigé par BP devenait (par l'entremise de sa filiale) impliqué dans les négociations du projet de pipeline transafghan.

Unocal est à la fois « rivale » de BP et sa « partenaire » de consortium. Autrement dit, BP a la mainmise sur le consortium du projet de pipeline en direction ouest dans lequel Unocal possède des intérêts importants. Toutefois, Bridas étant maintenant aux mains de BP-Amoco, il est peu probable qu'un pipeline transafghan soit négocié sans le consentement, voire la participation, de BP :

> Conscient de l'importance de la fusion, le directeur d'une pétrolière pakistanaise a laissé entendre que « si ces pays [d'Asie centrale] voulaient d'une grosse compagnie américaine, Amoco l'est bien davantage que Unocal[20] ».

Après l'acquisition de Bridas par Amoco, la compagnie ayant succédé à Bridas, Pan American Energy Corporation, a poursuivi les négociations avec les talibans. Mais la dynamique en a été changée du tout au tout. Pan American Energy négociait désormais pour le compte de sa compagnie mère de Chicago, c'est-à-dire Amoco. De plus, l'administration Clinton avait cessé ses malversations (en faveur d'Unocal) et soutenait maintenant la filiale d'Amoco.

Pendant ce temps, en août 1998, Amoco et BP ont fait connaître leur décision d'unir leurs opérations globales, menant ainsi à la formation (avec Atlantic Ritchfield) de la plus grande société pétrolière au monde.

Autrement dit, la rivalité entre Bridas et Unocal a débouché sur une « querelle » entre deux majors américaines qui étaient aussi « partenaires » dans les projets de pipeline d'est en ouest. Unocal et BP-Amoco ont toutes deux des liens avec le pouvoir politique, non seulement à la Maison-Blanche et au Congrès mais aussi dans les milieux militaires et du renseignement chargés des opérations en sous main en Asie centrale. Les deux compagnies ont contribué généreusement à la campagne de Bush à la présidence.

La fusion de BP et d'Amoco a sans aucun doute contribué également à renforcer les liens politiques entre les gouvernements de la Grande-Bretagne et des États-Unis. Réagissant au fusionnement des intérêts des deux pays dans les secteurs du pétrole, des banques et du complexe militaro-industriel, le gouvernement travailliste de Grande-Bretagne, dirigé par le premier ministre Tony Blair, est devenu l'allié inconditionnel des États-Unis.

Le bombardement des ambassades américaines en Afrique

Au cours de 1998, les pourparlers entre les talibans et les dirigeants d'Unocal sont arrivés à un point mort. La lune de miel était terminée.

Puis il y a eu les bombardements des ambassades américaines en Afrique de l'Est, œuvre présumée du réseau al-Qaïda d'Oussama ben Laden, qui furent suivies de représailles par le lancement de missiles de croisière contre des cibles en Afghanistan, ordonnées par le président Clinton.

Suite aux représailles contre l'Afghanistan et le Soudan, Unocal annonçait au mois d'août 1998 la suspension « officielle » des négociations avec les talibans. Est-ce que l'acquisition de Bridas par Amoco en 1997 et la fusion ultérieure de BP et d'Amoco (en août 1998, elle aussi) ont influé sur la décision d'Unocal ? Quoi qu'il en soit, le « Grand jeu » avait évolué : Unocal devait dorénavant livrer concurrence à la plus grande pétrolière au monde, BP-Amoco.

Le bombardement d'une usine de produits pharmaceutiques au Soudan en guise de représailles baigne également en plein mystère. L'usine appartenait à Salah Idris, associé d'affaires et protégé du financier saoudien Khalid ben Mahfouz, copropriétaire de Delta Oil et principal partenaire d'Unocal dans le consortium CentGas touchant le pipeline afghan.

Le conglomérat Mahfouz possède la plus grande banque d'Arabie saoudite, la National Commercial Bank qui s'apprêtait à injecter de l'argent dans le projet de pipeline. Pourquoi donc l'administration Clinton aurait-elle ordonné de bombarder l'usine d'un partenaire d'affaires de la société Unocal ?

La poursuite judiciaire de BP-Amoco (Bridas) contre Unocal

Deux mois plus tard, soit en octobre 1998, un tribunal du Texas rejetait la poursuite judiciaire de 15 milliards de dollars américains entamée par Bridas (ayant d'abord appartenu à des intérêts argentins) contre Unocal « pour l'avoir empêchée de mettre en valeur des champs de gaz naturel au Turkménistan[21] ». La décision du tribunal concernait en réalité la compagnie mère de Bridas, BP-Amoco, qui avait acquis un an auparavant des intérêts majoritaires dans Bridas.

Il est tout probable que Unocal et BP-Amoco, partenaires du consortium touchant le bassin de la mer

Caspienne, s'étaient entendues à l'amiable. Qui plus est, tandis que l'ancien conseiller en matière de sécurité nationale (sous une administration démocrate), Zbigniew Bzrezinski, agissait à titre de consultant pour Amoco, Henry Kissinger, ancien secrétaire d'État (sous une administration républicaine), conseillait la société Unocal.

L'acquisition de Bridas par BP-Amoco laisse entendre que BP sera fort probablement un acteur de premier plan dans les futures négociations sur le pipeline, sans doute avec l'accord d'Unocal.

Unocal se retire, mais temporairement

Alors que Unocal se retirait en 1998 du consortium CentGas dans la foulée du lancement de missiles de croisière en Afghanistan et au Soudan, la filiale de BP-Amoco, Pan American Energy (qui avait succédé à Bridas), avait poursuivi ses négociations avec des porte-parole afghans, russes, turkmènes et kazakhs relativement au projet de pipeline transafghan.

Entre-temps, la politique étrangère américaine avait, sous l'administration Clinton, effectué un virage à l'égard de Bridas : plus de manigances contre une compagnie passée aux mains de l'un des plus grands conglomérats pétroliers des États-Unis ! De toute évidence, durant les deux dernières années de l'administration Clinton, BP-Amoco, la rivale d'Unocal dans les négociations au sujet du pipeline, avait pris le haut du pavé.

Malgré le retrait temporaire d'Unocal, le consortium CentGas n'a pas été démembré. La partenaire saoudienne d'Unocal dans CentGas, Delta Oil (contrôlée par l'empire commercial de ben Mahfouz et liée à la famille ben Laden), a continué à négocier avec les talibans.

George W. à la Maison-Blanche

La saga du pipeline retrouve son souffle avec l'accession de George W. Bush à la Maison-Blanche en janvier 2001.

Dès le début de l'administration Bush, Unocal (qui s'était retirée des négociations en 1998 sous l'administration Clinton) réintègre le consortium CentGas et reprend (en janvier 2001) ses pourparlers avec les talibans, fermement soutenue cette fois par les principaux ténors de l'administration Bush, dont le sous-secrétaire d'État, Richard Armitage. Ce dernier avait été lobbyiste pour Unocal auprès du Burma/Myanmar Forum et du « Washington Group » financé par Unocal[22].

Ces négociations avec les talibans auraient eu lieu (selon Jean-Charles Brisard et Guillaume Dasquié) quelques mois à peine avant les attentats du 11 septembre :

> Laila Helms [fille du sénateur Jesse Helms], embauchée comme agente de relations publiques pour le gouvernement taliban, fait venir à Washington pas plus tard qu'en mars 2001 Rahmatullah Hashimi, conseiller du mollah Omar. Helms était particulièrement bien placée pour cet emploi : son oncle Richard Helms étant un ancien chef de la CIA et un ancien ambassadeur en Iran. Lors d'une séance de négociation tenue le 2 août, un mois avant le 11

septembre, Christina Rocca, directrice des affaires asiatiques au département d'État, rencontre à Islamabad l'ambassadeur des talibans au Pakistan, Abdul Salem Zaef.

Rocca avait des rapports étroits avec l'Afghanistan, ayant entre autres supervisé la livraison de missiles Stinger aux moudjahidines dans les années 1980. À la CIA, elle avait été en charge des contacts avec des groupes de la guérilla islamiste[23].

Selon Brisard et Dasquié dans *Ben Laden : la Vérité interdite* :

Au cours de ces dernières discussions à Berlin [août 2001], selon le représentant pakistanais Naiz Naik, la petite délégation américaine évoque une « option militaire contre les talibans s'ils ne consentent pas à changer de position[24] ».

Unocal « nomme » un gouvernement provisoire à Kaboul

Dans la foulée du bombardement de l'Afghanistan en octobre 2001, l'administration Bush « désigne » Hamid Karzaï à la tête du gouvernement provisoire à Kaboul. Les médias soulignent tous la lutte patriotique menée par celui-ci contre les talibans, mais ils se gardent bien de mentionner qu'il avait lui aussi collaboré avec le gouvernement taliban.

Par ailleurs, il figurait sur la liste de paie d'Unocal. En fait, depuis le milieu des années 1990, Hamid Karzaï avait servi de consultant et de lobbyiste pour Unocal lors des négociations avec les talibans. Sa nomination — manifestement sous l'impulsion de la pétrolière américaine — a reçu l'aval inconditionnel de la dite « communauté internationale » à la conférence de novembre 2001 tenue à Bonn sous les auspices des Nations Unies. Selon le journal saoudien *Al-Watan* :

> Karzaï avait travaillé pour la CIA à partir des années 1980. Il a collaboré avec la CIA afin d'acheminer l'aide des États-Unis aux talibans à compter de 1994 « lorsque les Américains ont appuyé — secrètement et par le biais des Pakistanais [en particulier de l'ISI] — l'accession des talibans au pouvoir [...] [25]

Ce n'est pas par hasard que l'envoyé spécial du président Bush à Kaboul, Zalmay Khalizad, avait travaillé lui aussi pour Unocal. Il avait effectué l'analyse des risques relatifs au pipeline en 1997, fait des pressions en faveur des talibans et pris part aux négociations avec eux [26]. Khalizad avait occupé le poste de conseiller spécial auprès du département d'État sous l'administration Reagan, ayant la responsabilité « d'organiser le lobbying afin d'accélérer l'aide militaire américaine aux moudjahidines ». Il est ensuite devenu sous-secrétaire à la Défense dans le Cabinet de Bush père [27]. À l'entrée en fonction de George W. en janvier 2001, Khalizad fut nommé au Conseil national de sécurité.

La « reconstruction » de l'Afghanistan

Washington avait planté le décor. Selon le représentant de la Banque mondiale à Kaboul : « La reconstruction de l'Afghanistan va apporter toute une gamme d'occasions[28]. »

Deux jours après le début des bombardements en Afghanistan, le 9 octobre, l'ambassadrice des États-Unis au Pakistan, Wendy Chamberlain, rencontrait des responsables pakistanais au sujet du pipeline trans-afghan, afin « d'ouvrir de nouvelles avenues à la coopération régionale dans différents secteurs, en particulier à la lumière des récents événements géopolitiques [à savoir, le bombardement de l'Afghanistan] survenus dans la région[29] ».

L'Afghanistan placé sous l'occupation militaire des États-Unis, le rôle d'Hamid Karzaï à titre de chef du gouvernement provisoire est celui d'un intermédiaire chargé de faire aboutir le projet de pipeline au nom des pétrolières anglo-américaines.

Dans la foulée des premières frappes d'octobre 2001, on a pu voir ou entendre dans les médias que « deux petites compagnies » Chase Energy et Caspian Energy Consulting (agissant pour le compte de gros intérêts pétroliers) avaient pris contact avec les gouvernements du Turkménistan et du Pakistan afin de ressusciter le projet de pipeline. Cette démarche fut entreprise sans que l'identité des grandes pétrolières n'ait été révélée. Il s'avère, cependant, que le président de Caspian Sea Consulting, S. Rob Sobhani, avait été consultant de BP-Amoco en Asie centrale. Sobhani siège également au conseil de la Caspian Sea Discourse (sous l'égide du puissant Council on Foreign Relations), en compagnie de représentants des grandes pétrolières, du George Soros Open Society Institute, de la CIA et de la Heritage Foundation (le *think tank* du Parti républicain).

Selon les propos de S. Rob Sobhani,

> « Il est absolument essentiel que les États-Unis placent la question du pipeline au cœur de la reconstruction de l'Afghanistan [...] » Le département d'État pense aussi que c'est une bonne idée. Le transport du gaz naturel via l'Iran serait bloqué et les républiques d'Asie centrale n'auraient pas besoin d'utiliser les pipelines russes[30].

Aux yeux de Joseph Noemi, PDG de Chase Energy, le 11 septembre et la guerre constituent pour l'Afghanistan un bien pour un mal :

> [...] si les États-Unis maintiennent leur présence dans la région, c'est [le 11 septembre] probablement ce qu'il y a de mieux pour les républiques d'Asie centrale [...] Pour l'économie du pétrole, la région représente la nouvelle frontière de ce siècle [...] Et l'Afghanistan en est une partie intégrante[31].

Notes

1. *Knight Ridder News*, 31 octobre 2001.

2. Jim Crogan, « The Oil War », *LA Weekly*, 30 novembre 2001.

3. *Ibid.*

4. Ted Rall, « It's About Oil », *San Francisco Chronicle*, 2 novembre 2001, p. A25.

5. Ishtiaq Ahmad, « How America Courted Talibans », *Pakistan Observer*, 20 octobre 2001.

6. John Pilger, « This War is a Fraud », *Daily Mirror*, 29 octobre 2001.

7. Jim Crogan, « Pipeline Payoff to Afghanistan War », *California Crime Times*, novembre 2001, <www.california crimetimes.com/>. Voir également Jim Crogan, « The Oil War : Unocal's Once-Grand Plan for Afghan Pipelines », *LA Weekly*, 30 novembre-6 décembre 2001.

8. Congrès américain, Audiences sur les intérêts américains dans les républiques d'Asie centrale, Chambre des représentants, Sous-comité de l'Asie et du Pacifique du Comité des relations internationales, Washington DC, <commdocs.house. gov/committees/intlrel/hfa48119.000/hfa48119_of.htm>.

9. Voir Karen Talbot, « US Energy Giant Unocal Appoints Interim Government in Kaboul », *Global Outlook*, vol. 1, n° 1, printemps 2002, p. 70.

10. « Timeline of Competition Between Unocal and Bridas », *World Press Review*, décembre 2001, <www.worldpress.org>.

11. Maggie Mulvihill, Jonathan Wells et Jack Meyers, « War on Terrorism : Saudi Clans Working with US Oil Firms May Be Tied », *Boston Herald*, 10 décembre 2001.

12. National Enquirer online, <entertainment.yahoo.com/entnews/ne/20020304/101525400002.html>, 4 mars 2002.

13. Maggie Mulvihill, Jonathan Wells et Jack Meyers, « Slick Deals ; the White House Connection ; Saudi 'Agents' Close Bush Friends », *Boston Herald*, 11 décembre 2001.

14. Wayne Madsen, « Questionable Ties Tracking Bin Laden's Money Flow Leads Back to Midland, Texas », *In These Times,* 12 novembre 2001.

15. Mulvihill, Wells et Myers, *op. cit.*

16. Timeline, *op. cit.*

17. Timeline, *op. cit.*

18. Alexander Gas and Oil Connections, <www.gasandoil.com/goc/company/cnc75005.htm>, 12 août 1997.

19. Larry Chin, « Unocal and the Afghanistan Pipeline », *Online Journal*, Centre de recherche sur la mondialisation (CRM), <www.globalresearch.ca/articles/CHI203A.html>, 6 mars 2002.

20. *Ibid.*

21. Timeline, *op. cit.*

22. Larry Chin, *op. cit.*

23. Voir Karen Talbot, « US Energy Giant Unocal Appoints Interim Government in Kaboul », *Global Outlook*, vol. 1, nº 1, printemps 2002, p. 70.

24. Jean-Charles Brisard et Guillaume Dasquié, *Ben Laden. La Vérité interdite*, Denoël Impacts, Paris, 2002, p. 77.

25. Karen Talbot, *op. cit.*, et BBC Monitoring Service, 15 décembre 2001.

26. Karen Talbot, *op. cit.*

27. Patrick Martin, « Unocal Advisor Named Representative to Afghanistan », World Socialist Website (WSWS), 3 janvier 2002.

28. Déclaration de William Byrd, représentant de la Banque mondiale à Kaboul.

29. Cité dans Larry Chin, « The Bush Administration's Afghan Carpet », Centre de recherche sur la mondialisation (CRM), <www.globalresearch.ca/articles/CHI203B.html>, 13 mars 2002.

30. Daniel Fisher, « Kabouled together », *Forbes Online*, 4 février 2002, <www.forbes.com>.

31. *Knight Ridder News*, 30 octobre 2001.

La machine de guerre américaine

LA GUERRE DE 1999 en Yougoslavie — qui coïncidait avec la formation du GUUAM et l'«élargissement» de l'OTAN en Europe de l'Est — a marqué un tournant important dans les relations Est-Ouest.

Aleksander Arbatov, vice-président du Comité de la défense de la Douma chargé des relations entre les États-Unis et la Russie a décrit la guerre en Yougoslavie comme la «conjoncture la plus grave et la plus dangereuse depuis la crise de Berlin et la crise des missiles de Cuba [1]». Selon Arbatov:

> START II est mort, la coopération avec l'OTAN est bloquée, il est hors de question de coopérer en matière de défense antimissiles et la volonté de Moscou de coopérer en matière de non-prolifération n'a jamais été aussi basse. De plus, en Russie, l'antiaméricanisme est réel, profond et plus répandu

que jamais, et le slogan « aujourd'hui la Serbie, demain la Russie » est profondément ancré dans l'esprit des Russes [...] [2]

Malgré les propos conciliants du président Boris Eltsine lors du Sommet du G8 à Cologne en 1999, les autorités militaires russes n'ont pas hésité à exprimer ouvertement leur méfiance à l'égard des États-Unis : *« le bombardement de la Yougoslavie pourrait mener dans un très proche avenir à une répétition en vue de frappes semblables en Russie*[3] *»*.

Selon Mary-Wynne Ashford, coprésidente de l'Association internationale des médecins pour la prévention de la guerre nucléaire (IPPNW), la Russie se dirigeait (avant la guerre en Yougoslavie) vers un rapprochement avec l'Europe occidentale. Au lendemain de la guerre, les Russes :

> [...] voient dans l'Ouest leur pire menace. Des hauts fonctionnaires des Affaires étrangères de Russie (Contrôle des armes et désarmement) nous ont dit [à la IPPNW] que la Russie n'avait pas d'autre choix que de compter sur l'armement nucléaire pour sa défense car ses forces conventionnelles sont inadéquates [...] Le changement d'attitude de la Russie envers l'Ouest, la place qu'elle accorde de nouveau aux armes nucléaires qui sont par milliers en état d'alerte et sa perte de confiance dans le droit international nous font redouter la catastrophe [...] La crise rend plus urgente que jamais le désarmement nucléaire. À ceux qui disent que la menace russe fait partie de la rhétorique, je réponds que c'est souvent la rhétorique qui contribue à déclencher la guerre[4].

L'accroissement du potentiel militaire depuis 1999
Pendant ce temps, à Washington, un vaste programme de développement de l'arsenal militaire était en cours. L'objectif recherché était d'atteindre l'hégémonie militaire à l'échelle planétaire : en 2002 les dépenses pour la défense ont grimpé au delà de 300 milliards de dollars, somme équivalente au produit intérieur brut de la Fédération de Russie (lequel se situe à environ 325 milliards de dollars). Les dépenses militaires des États-Unis ont encore grimpé davantage au lendemain des bombardements d'octobre 2001 en Afghanistan :

> Plus du tiers des crédits de 68 milliards de dollars prévus dans le budget de 2003 sont attribués à des armes développées durant la guerre froide. Plusieurs milliards de dollars sont réservés aux bombes à fragmentation, condamnées dans le monde entier par les groupes de défense des droits de la personne. Rien ne saurait expliquer un tel niveau de dépenses militaires si ce n'est l'intention claire et nette des États-Unis de s'élever au rang de Nouvel Empire mondial et de dominer la planète aux plans économique et militaire, y compris par la militarisation de l'espace [...] [5]

Dans le cadre de cet accroissement spectaculaire du potentiel militaire, l'administration Bush prévoit augmenter de 120 milliards de dollars ses dépenses militaires au cours des cinq prochaines années, « de sorte que le budget militaire atteindrait le chiffre astronomique de 451 milliards de dollars [6] ».

Cette somme colossale consentie à la machine de guerre américaine ne comprend pas les allocations budgétaires dont bénéficie la Central Intelligence Agency (CIA) tant de sources « officielles » que de sources non divulguées afin de financer ses opérations secrètes. Le budget officiel de la CIA dépasse 30 milliards de dollars (soit 10 % du PIB de la Russie). Cette somme exclut les recettes de plusieurs milliards de dollars provenant du trafic de la drogue, qui contribuent à enrichir les sociétés écran et les organisations de façade de la CIA[7].

De surcroît, des milliards de dollars ont été réservés (dans le budget de la défense) à la « remise à neuf » de l'arsenal nucléaire américain. On a mis au point une nouvelle génération de « missiles à fragmentation » — dotés de charges nucléaires multiples — capables de livrer (à partir d'une seule ogive de missile) jusqu'à 10 charges nucléaires dirigées vers 10 villes différentes. Ces missiles ont présentement pour cible la Russie. Dans ce contexte, Washington s'en tient à sa doctrine dite de la « première frappe » nucléaire, ces missiles étant destinés en principe aux États qualifiés de « voyous » bien que, en réalité, ils sont surtout dirigés vers la Russie et la Chine.

Les États-Unis ont également mis au point une nouvelle génération d'armes nucléaires « tactiques ». Appelées *mininukes*, ces armes sont conçues pour être utilisées dans le théâtre des guerres conventionnelles. Déjà, sous l'administration Clinton, le Pentagone recommandait l'utilisation des B61-11 ou bombes « nucléaires » antiblockhaus*, sous prétexte que, parce

---

* N.D.T.: En anglais, « *bunker buster bombs* ».

que l'explosion est souterraine, il n'y aurait pas à craindre de retombées radioactives toxiques pour la population civile :

> Des responsables militaires et des dirigeants de laboratoires d'armes nucléaires exhortent les États-Unis à mettre au point une nouvelle génération d'armes nucléaires de précision à faible intensité [les *mininukes*] [...] qui pourraient servir lors de guerres conventionnelles avec des pays du tiers-monde[8].

Encadré 7.1

Les armes nucléaires tactiques américaines

Durant la guerre de 2001-2002 menée en Afghanistan, l'aviation américaine a utilisé des bombes antiblockhaus GBU-28 capables de provoquer d'énormes explosions souterraines. Officiellement, ces bombes devaient cibler les « réseaux de grottes et de tunnels » des régions montagneuses du sud de l'Afghanistan qui présumément servaient de cache à Oussama ben Laden. Surnommées *Big Ones* dans le jargon du Pentagone, ces GBU sont des bombes guidées au laser de 5000 livres avec cône de charge BLU-113 amélioré, capables de traverser une épaisseur de béton armé de plusieurs mètres. Le BLU-113 est le « cône de charge à pénétration » le plus puissant à jamais avoir été créé parmi les armes conventionnelles.

Alors que les *Big Ones* du Pentagone sont classées parmi les armes « conventionnelles », la fiche technique ne mentionne pas que ces « bombes antiblockhaus », larguées d'un B-52, d'un bombardier furtif B-2 ou d'un chasseur F-16, peuvent aussi être munies d'un dispositif nucléaire. La B61-11 est la version « nucléaire » de la BLU-113 « conventionnelle ».

La B61-11 « nucléaire », dans la catégorie des « bombes à pénétration souterraine », est capable de « détruire les blockhaus souterrains les plus profonds et les mieux fortifiés, contrairement à la version conventionnelle, la BLU-113 ».

Le secrétaire à la Défense Donald Rumsfeld s'est dit d'avis que les bombes antiblockhaus « conventionnelles » feraient l'affaire, mais il n'a pas écarté [en Afghanistan] le recours éventuel à l'utilisation d'armes nucléaires » [9].

L'administration Bush a besoin d'une justification et de l'appui du public pour utiliser des armes nucléaires tactiques dans le cadre de sa « guerre contre le terrorisme international ». Elle a également l'intention de mettre à l'essai ses bombes B61-11 dites « de faible intensité ». La campagne de propagande menée par l'administration Bush consiste à dire que ces armes nucléaires « de faible intensité » n'auront aucun impact sur les populations civiles, justifiant ainsi leur utilisation au même titre que les armes conventionnelles. L'administration laisse

ensuite entendre que le recours aux bombes nucléaires antiblockhaus pourrait se justifier dans le
cadre de « la campagne contre le terrorisme international », étant donné que le réseau al-Qaïda
d'Oussama ben Laden possède des moyens nucléaires et qu'il pourrait s'en servir contre nous.

Les armes nucléaires tactiques américaines sont
qualifiées de « sécuritaires » à comparer à celles du
réseau al-Qaïda de ben Laden. Les déclarations
officielles laissent donc entendre, à cet égard, qu'une
arme nucléaire tactique à pénétration souterraine
« de faible intensité », comme la bombe B61-11,
« limiterait les dommages collatéraux » et que
son emploi serait par conséquent « relativement
sécuritaire [10] ».

Les médias américains reprennent à l'unisson ces
nouveaux slogans politiques pour amener l'opinion
publique à approuver l'utilisation d'« armes nucléaires tactiques » [...] Pourtant, les preuves
scientifiques en la matière sont sans équivoque : les
B61-11 « de faible intensité » auraient un impact
dévastateur sur la population civile « en raison de
l'énorme quantité de poussière radioactive proje-
tée par l'explosion ; l'arme hypothétique de cinq ki-
lotonnes [...] répandrait des retombées mortelles
sur un vaste territoire [11] ».

L'économie de guerre américaine

L'accroissement du potentiel militaire commencé sous l'administration Clinton s'est accéléré. Le 11 septembre et la prétendue « guerre au terrorisme » de Bush servent de prétexte à l'expansion de la machine de guerre américaine et alimentent la croissance du complexe militaro-industriel.

Une « légitimité » nouvelle se présente. Il faut augmenter les dépenses militaires sous prétexte de « préserver la liberté » et de l'emporter sur « l'axe du mal » :

> Cette guerre coûte cher. Nous avons dépensé plus d'un milliard de dollars par mois — plus de 30 millions par jour — et nous devons être prêts pour de futures opérations. L'Afghanistan nous a montré qu'avec des armes de précision coûteuses on peut vaincre l'ennemi et épargner des vies innocentes, et il nous faudra développer de nouvelles armes. Nos avions militaires devront être remplacés et nos troupes devront être plus mobiles afin de pouvoir aller rapidement et en toute sécurité n'importe où dans le monde [...] Mon budget comporte au chapitre des dépenses militaires la hausse la plus importante des deux dernières décennies — car le prix de la liberté et de la sécurité a beau être élevé, il ne sera jamais trop cher. Nous allons payer ce qu'il faudra pour défendre notre pays [12].

Depuis le 11 septembre, des milliards de dollars ont été consacrés à la mise au point de systèmes d'armement perfectionné, dont le chasseur F-22 Raptor, ainsi qu'au programme Joint Fighter (JF).

L'Initiative de défense stratégique (ou « Guerre des étoiles ») ne comprend pas seulement le « Bouclier antimissiles », très controversé, mais encore toute une gamme d'armes « offensives » guidées par laser et capables de frapper n'importe où dans le monde, sans parler des dispositifs destinés à la guerre climatique et météorologique dans le cadre du programme High Altitude Auroral Research Program (HAARP). Ces dispositifs sont à même de déstabiliser complètement des économies nationales par des manipulations climatiques faites à l'insu de l'ennemi, à peu de frais et sans engager d'effectifs et de matériel militaires comme dans le cas d'une guerre conventionnelle [13].

La planification à long terme touchant les systèmes d'armement perfectionné et le contrôle de l'espace est présentée dans un document rendu public par le US Space Command en 1998, qui a pour titre *Vision for 2020*. L'objectif sous-jacent consiste

> à perfectionner les opérations militaires spatiales afin de protéger les intérêts et les investissements des États-Unis [...] La synergie naissante de la supériorité spatiale et de la supériorité terrestre, maritime et aérienne, nous permettra de contrôler toute l'étendue de l'espace [14].

L'armement nucléaire dans la foulée du 11 septembre

Dans la foulée du 11 septembre, l'administration Bush se sert aussi de la prétendue « guerre au terrorisme » pour redéfinir les hypothèses concernant l'utilisation de l'armement nucléaire. La notion de « dissuasion nucléaire » qui prévalait durant la guerre froide a été abondonnée. « Ils cherchent désespérément à trouver de nouveaux justificatifs aux armes nucléaires alors que leur justificatif devrait être strictement dissuasif[15]. »

Au début de 2002, un rapport secret du Pentagone confirmait l'intention de l'administration Bush d'utiliser l'arme nucléaire contre la Chine, la Russie, l'Irak, la Corée du Nord, l'Iran, la Libye et la Syrie. Le rapport secret — qui a fait l'objet d'une fuite au *Los Angeles Times* — affirme que des armes nucléaires « pourraient être utilisées dans trois situations : contre des cibles capables de résister à une attaque non nucléaire, en représailles à une attaque au moyen d'armes nucléaires, biologiques ou chimiques, ou en cas de " circonstances militaires inattendues "[16] » :

> Avec le génie d'un docteur Folamour, ils prévoient la moindre situation où un président pourrait être tenté d'utiliser l'arme nucléaire — en planifiant dans les détails une guerre dont ils espèrent qu'elle n'aura jamais lieu.
>
> Dans ce domaine ultrasecret, il y a toujours eu de l'incohérence entre les objectifs diplomatiques des États-Unis qui consistent à réduire l'arsenal nucléaire et à empêcher la prolifération des armes de destruction massive, d'une part, et l'impératif militaire qui consiste à se préparer à l'impensable, d'autre part.
>
> Il n'en reste pas moins que le plan de l'administration Bush renverse une tendance vieille de près de deux décennies, celle de reléguer les armes

nucléaires dans la catégorie des armes de dernier recours. Il redéfinit également les conditions du recours au nucléaire dans la conjoncture de la période suivant le 11 septembre [17].

Tout en identifiant un certain nombre d'« États voyous », les intentions pas tellement cachées de l'administration Bush consistent à déployer l'armement nucléaire contre la Russie et la Chine dans le cadre de la politique expansionniste américaine visant l'Asie centrale, le Moyen-Orient et l'Extrême-Orient :

> Selon le rapport, le Pentagone devrait être prêt à se servir des armes nucléaires dans un conflit entre pays arabes et Israël, dans une guerre entre la Chine et Taiwan ou lors d'une attaque de la Corée du Nord contre la Corée du Sud. La chose pourrait aussi s'imposer si l'Irak attaquait Israël ou un autre de ses voisins.

> Le rapport affirme que la Russie n'est plus officiellement un « ennemi ». Il reconnaît pourtant que l'énorme arsenal russe, qui comprend quelque 6000 ogives de déployées et peut-être 10 000 armes nucléaires « de théâtre » [mininukes], plus petites, demeure préoccupant.

> Des responsables du Pentagone ont reconnu publiquement avoir envisagé la nécessité de mettre au point des armes nucléaires de terrain [mininukes] qui seraient utilisées contre des cibles spécifiques sur un champ de bataille, mais sans s'être engagés dans cette voie [18].

La portée de ce rapport secret présenté au Congrès américain au début de 2002 a reçu l'aval du Parti républicain :

> [Des] analystes conservateurs soutiennent que le Pentagone doit se préparer à toute éventualité, en particulier maintenant que des dizaines de pays et certains groupes terroristes sont embarqués dans des programmes secrets de développement d'armement [...] Ils font valoir que les armes de petite taille jouent un rôle dissuasif important parce que beaucoup d'agresseurs pourraient ne pas croire que les forces militaires américaines utiliseraient des armes de plusieurs kilotonnes [...]

> « Il nous faut un moyen de dissuasion crédible face à des régimes engagés dans le terrorisme international et le développement d'armes de destruction massive », a déclaré Jack Spencer, analyste en matière de défense de la Heritage Foundation de Washington, d'obédience conservatrice. La teneur du rapport ne l'a pas étonné et celui-ci constitue, selon lui, « la bonne façon de mettre au point un dispositif nucléaire dans un monde où la guerre froide est révolue [19] ».

L'encerclement de la Chine

Dans la période qui a suivi la guerre de 1999 en Yougoslavie, l'administration Clinton a accru son soutien militaire à Taiwan contre la Chine, ce qui a entraîné une véritable militarisation dans le détroit de Taiwan. L'aviation taiwanaise avait déjà été équipée de 150 chasseurs F16A de Lockheed Martin. L'administration

Clinton avait alors fait valoir la nécessité de fournir une aide militaire à Taiwan afin de maintenir « l'équilibre militaire avec la République populaire de Chine », en vertu de la prétendue politique de la « paix par la dissuasion » de Washington[20].

Des destroyers Aegis munis de missiles sol-air, de missiles mer-mer et de missiles de croisière Tomahawk, tous à la fine pointe de la technologie, ont été livrés à Taiwan afin de renforcer ses capacités navales dans le détroit de Taiwan[21]. Beijing a réagi à cette escalade militaire en prenant livraison en 2000 de son premier destroyer lance-missiles de construction russe, le Hangzhou, muni de missiles antinavires Sunburn SS-N-22 « capables de pénétrer les moyens de défense les plus perfectionnés de tout groupement naval tactique des États-Unis ou du Japon[22] ».

Nouvelles hypothèses militaires

Les hypothèses militaires se sont modifiées radicalement depuis le 11 septembre. L'administration Bush avait abandonné la doctrine de la « paix par la dissuasion ». Le renforcement du dispositif militaire dans le détroit de Taiwan fait partie intégrante du plan militaire global de Washington qui repose dorénavant sur le déploiement « sur plusieurs fronts ».

Avec l'appui de l'administration Bush, Taiwan :

> poursuit activement un programme de recherche en vue de mettre au point un missile balistique tactique capable d'atteindre des cibles sur le territoire de la Chine continentale [...] Ces missiles sont censés contribuer à la dégradation de la force de frappe

de l'Armée de libération populaire (ALP), c'est-à-dire toute son infrastructure, qu'il s'agisse des missiles ou des installations (terrains d'aviation, ports, emplacements de missiles, etc.) [23].

D'autre part, la présence militaire américaine au Pakistan et en Afghanistan (de même que dans plusieurs ex-républiques soviétiques), à la frontière occidentale de la Chine, est coordonnée avec le déploiement naval de Taiwan dans la mer de Chine méridionale.

La Chine est encerclée : les forces militaires américaines sont réparties dans la mer de Chine méridionale et le détroit de Taiwan, la péninsule coréenne et la mer du Japon, de même qu'en plein cœur de l'Asie centrale, à la frontière occidentale de la région autonome chinoise du Xinjiang-Ouïgour. Des bases militaires américaines ont été établies en Ouzbékistan (qui est membre de l'accord du GUUAM avec l'OTAN), au Tadjikistan et au Kirghizistan, où des pistes d'atterrissage et des installations aéroportuaires militaires ont été mises à la disposition de l'aviation américaine.

L'utilisation de l'arme nucléaire contre la Chine

Au début de 2002, l'administration Bush a confirmé son intention d'utiliser l'arme nucléaire contre la Chine advenant un affrontement dans le détroit de Taiwan :

La Chine, parce qu'elle possède la puissance nucléaire et qu'elle « développe des objectifs stratégiques », figure parmi les pays pouvant faire l'objet d'une action immédiate ou éventuelle. Plus précisément, le rapport inscrit la confrontation militaire touchant le statut de Taiwan parmi les scénarios susceptibles d'amener Washington à utiliser les armes nucléaires[24].

L'axe anglo-américain

La guerre de 1999 en Yougoslavie a contribué à consolider les liens stratégiques et militaires entre Washington et Londres. Au lendemain de la guerre, le secrétaire américain à la Défense William Cohen et son homologue britannique Geoff Hoon ont signé une «Déclaration de principes touchant le matériel de défense et la coopération militaro-industrielle» dans le but «d'améliorer la coopération dans l'approvisionnement d'armement et la protection des secrets technologiques» tout en facilitant «les entreprises militaires conjointes ainsi que d'éventuelles fusions dans l'industrie de la défense[25]».

L'objectif de Washington était d'encourager l'établissement *d'un «pont transatlantique* par lequel le DoD [département de la Défense des États-Unis] pourrait transporter sa politique de mondialisation vers l'Europe [...] Notre objectif est d'améliorer l'efficacité au combat par le raffermissement des liens industriels entre compagnies américaines et alliées».

Ainsi que l'affirmait le secrétaire à la Défense du président Clinton, William Cohen, cette entente

> facilitera l'interaction entre nos industries respectives [britanniques et américaines] de manière à harmoniser notre approche concernant le partage de

la technologie, la coopération au sein de partenariats ainsi que dans le contexte de fusions éventuelles [26].

L'entente fut signée en 1999 peu après la création de British Aerospace Systems (BAES), fruit de la fusion entre British Aerospace (Bae) et GEC Marconi. Bae était déjà solidement associée aux deux plus grands producteurs de matériel militaire des États-Unis, Lockheed Martin et Boeing [27].

Les intentions cachées derrière ce « pont transatlantique » anglo-américain consistent à supplanter (sur le marché de l'armement) les conglomérats militaires franco-allemands et à asseoir la prédominance du complexe militaro-industriel américain (de concert avec les grands producteurs d'armes de la Grande-Bretagne).

Cette intégration anglo-américaine dans le secteur de la production militaire fut réalisée parallèlement à une coopération accrue entre la CIA et la Military Intelligence, Unit 5 (MI5) britannique dans le renseignement et les opérations secrètes, sans parler des opérations conjointes des forces spéciales britanniques et américaines.

Les États-Unis et l'Allemagne
L'intégration du complexe militaro-industriel britannique avec celui des États-Unis constitue la nouvelle donne. En revanche, d'importantes brèches se sont ouvertes entre Washington et Berlin.

Dans ce contexte, l'intégration franco-allemande dans le secteur de l'aérospatiale et de la production militaire a pour but ultime de contrer la domination anglo-américaine sur le marché de l'armement. Cette dernière repose sur le partenariat entre les cinq géants américains (Lockheed-Martin, Boeing, General Dynamics, Raytheon, Northrop-Grumman) et l'industrie militaire britannique, dans le cadre de l'entente sur le « pont transatlantique ».

Depuis le début des années 1990, le gouvernement de Bonn a encouragé la consolidation du complexe militaro-industriel allemand dominé par Daimler, Siemens et Krupp. D'importantes fusions ont eu lieu au sein de l'industrie de défense de l'Allemagne, en réaction aux mégafusions entre les producteurs américains de l'aérospatiale et de l'armement[28].

Dès 1996, Paris et Bonn ont créé dans le secteur de l'armement une agence mixte dont la mandat était « de gérer des programmes communs [et] d'accorder des contrats au nom des deux gouvernements[29] ». Les deux pays ont affirmé « ne pas vouloir que la Grande-Bretagne fasse partie de l'organisme ».

Par conséquent, la France et l'Allemagne contrôlent maintenant Airbus Industries qui fait concurrence à Lockheed Martin des États-Unis[30]. Les Allemands collaborent également au programme de lancement du satellite spatial Ariane dans lequel Deutsche Aerospace (DASA) est un des principaux actionnaires.

Vers la fin de 1999, après l'« alliance » de British Aerospace Systems (BAES) avec Lockheed Martin, la française Aerospatiale-Matra a fusionné avec DASA de Daimler pour ainsi former le plus vaste conglomérat européen en matière de défense. L'année suivante, la société European Aeronautic Defence and Space Co. (EADS) fut créée avec l'intégration de DASA, Aerospatiale-Matra et de l'espagnole Construcciones Aeronauticas SA. La EADS et ses rivales anglo-américaines se font concurrence en vue d'approvisionner en armement les nouveaux membres de l'OTAN d'Europe de l'Est[31].

EADS collabore toujours avec British Aerospace Systems (BAES) pour la production de missiles. Alors qu'elle entretient des liens d'affaires avec les *Big Five* américains, notamment Northrop Grumman, l'industrie occidentale de la défense et de l'aérospatiale est néanmoins divisée en deux groupes distincts : la EADS, d'une part, dominée par la France et l'Allemagne, et le *Big Six* anglo-américain, d'autre part, formé des cinq plus grands producteurs des États-Unis (Lockheed Martin, Raytheon, General Dynamics, Boeing et Northrop Grumman) ainsi que du puissant BAES, qui est britannique.

Intégré au réseau d'appels d'offres du département américain de la Défense en vertu de l'entente sur « le pont transatlantique », BAES était en 2001 le cinquième fournisseur de matériel de défense du Pentagone. Dans le cadre de l'entente anglo-américaine, BAES intervient librement sur le marché américain par le truchement de sa filiale, BAE Systems North America[32].

L'intégration franco-allemande dans le secteur de l'armement nucléaire

L'alliance franco-allemande pour la production militaire sous l'égide de la EADS ouvre la porte à l'intégration de l'Allemagne (qui ne possède pas officiellement d'armes nucléaires) dans le programme d'armement nucléaire français. Dans ce contexte, la EADS fabrique déjà une vaste gamme de missiles balistiques dont les missiles balistiques intercontinentaux (ICBM) à lanceur sous-marin équipés d'ogives nucléaires M51, destinés à la marine française[33].

Euro contre dollar: la rivalité entre des conglomérats financiers concurrents

Le système européen de monnaie unique (l'euro) a une portée directe sur les divisions stratégiques et politiques. En décidant de ne pas adopter la monnaie unique européenne, Londres restait fidèle à l'intégration des intérêts financiers et bancaires britanniques à ceux de Wall Street, sans parler de l'alliance anglo-américaine dans l'industrie pétrolière (BP-Amoco) et l'industrie de l'armement (les *Big Five* et BAES). Autrement dit, cette relation entre la livre sterling britannique et le dollar américain s'inscrit parfaitement dans le nouvel axe anglo-américain.

L'enjeu est la concurrence entre deux monnaies mondiales, l'euro et le dollar américain, la livre britannique se trouvant tiraillée entre deux systèmes monétaires dominés respectivement par l'Europe et les États-Unis. Autrement dit, deux systèmes financiers et monétaires se font la lutte à l'échelle mondiale pour s'accaparer le contrôle de la création de monnaie et du crédit. Les conséquences géopolitiques et stratégiques de cette rivalité ont une portée considérable étant donné qu'elle est aussi marquée par des divisions dans l'industrie de la défense et celle du pétrole.

En Europe comme en Amérique, bien que la politique monétaire relève officiellement de l'État, elle est en grande partie contrôlée par le secteur bancaire privé. La Banque centrale européenne sise à Francfort — placée officiellement sous la compétence de l'Union européenne — est contrôlée en fait par une poignée de banques privées européennes dont les principales banques et les conglomérats d'affaires de l'Allemagne.

Aux États-Unis, la Réserve fédérale est officiellement placée sous la surveillance de l'État, en étroite relation avec le Trésor américain. Distinctes de la Banque centrale européenne, cependant, les 12 banques fédérales de réserve (dont la plus importante est la Federal Reserve Bank de New York) sont contrôlées par leurs actionnaires qui sont des institutions bancaires privées. C'est donc dire que la Réserve fédérale américaine, appelée familièrement la « Fed » aux États-Unis, responsable de la politique monétaire et donc de la création de monnaie, est en fait contrôlée par les intérêts privés de Wall Street.

Les systèmes monétaires et la « conquête économique »

En Europe de l'Est, sur le territoire de l'ancienne Union soviétique, des Balkans jusqu'en Asie centrale, le dollar et l'euro se livrent une lutte acharnée. C'est ultimement le contrôle de son système monétaire national qui fait en sorte qu'un pays est colonisé. Alors que l'emprise de la devise américaine est manifeste dans tout l'hémisphère occidental, l'euro et le dollar se font la lutte dans l'ancienne Union soviétique, en Asie centrale, en Afrique subsaharienne et au Moyen-Orient.

Dans les Balkans et les pays baltes, les banques centrales fonctionnent comme des conseils monétaires[*] de style colonial et utilisent invariablement l'euro comme monnaie d'échange. Ainsi, dans ces pays, les intérêts financiers allemands et européens contrôlent la création monétaire et le crédit. Autrement dit, du fait que le cours d'une monnaie nationale est fixé par rapport à l'euro — plutôt qu'au dollar américain —, la devise et le système monétaire du pays seront entre les mains des intérêts allemands et européens.

De façon générale, c'est l'euro qui domine dans les pays sous influence allemande : ceux de l'Europe de l'Est, de la Baltique et des Balkans, tandis que le dollar américain tend à prédominer dans le Caucase et en Asie centrale. Dans les pays du GUUAM (qui ont signé une entente de coopération militaire avec Washington et l'OTAN), le dollar tend (sauf en Ukraine) à l'emporter sur l'euro.

La « dollarisation » des monnaies nationales fait partie intégrante de la Stratégie de la route de la soie (SRS) des États-Unis. Cette dernière consiste d'abord à déstabiliser les monnaies nationales puis à les rem-

---

[*] N.D.T. : En anglais, « *currency boards* ».

placer par le billet vert américain sur un territoire qui s'étend de la Méditerranée à la frontière occidentale de la Chine. L'objectif sous-jacent est d'imposer sur cette immense région la domination de la Réserve fédérale, c'est-à-dire de Wall Street.

Il s'agit, en somme, d'une lutte « impériale » pour s'emparer des monnaies nationales. Le contrôle de la création de monnaie et du crédit s'inscrit dans le processus même de la conquête économique, laquelle est soutenue à son tour par la militarisation du corridor eurasien.

Pendant que les intérêts bancaires américains et germano-européens s'affrontent pour s'emparer du contrôle des économies et des systèmes monétaires nationaux, ils semblent par contre être tombés d'accord sur le « partage des dépouilles », c'est-à-dire l'établissement de leurs sphères d'influence respectives. Dans le même ordre d'idée que la politique de « partition » de la fin du XIXᵉ siècle, les États-Unis et l'Allemagne se sont entendus sur le partage des Balkans : l'Allemagne a pris le contrôle de la monnaie nationale en Croatie, en Bosnie et au Kosovo, où l'euro a dans la pratique cours légal. En contrepartie, les États-Unis ont installé leur présence militaire permanente dans la région (avec la base militaire de Bondsteel au Kosovo).

Le recoupement des alliances militaires

La division entre les fabricants d'armement anglo-américains et franco-germaniques — y compris au sein de l'alliance militaire occidentale — semble avoir favorisé une coopération militaire accrue entre la Russie, d'une part, et la France et l'Allemagne, d'autre part.

Ces dernières années, la France et l'Allemagne ont toutes deux entamé des discussions bilatérales avec la Russie en matière de production de défense, de recherche aérospatiale et de coopération militaire. Vers la fin de 1998, Paris et Moscou ont convenu d'entreprendre en commun des exercices d'infanterie et des consultations militaires bilatérales. Puis Moscou s'est mis à la recherche de partenaires français et allemands pour la mise en valeur de son complexe militaro-industriel.

Au début de 2000, le ministre de la Défense allemand Rudolph Sharping s'est rendu à Moscou pour une consultation bilatérale avec son homologue russe. Un accord bilatéral fut signé qui prévoit 33 projets de coopération militaire, dont l'entraînement de spécialistes militaires russes en Allemagne[34]. Cette entente s'est conclue en dehors du cadre de l'OTAN et sans consultation préalable avec Washington.

La Russie a également signé en 1998 une « entente de coopération militaire à long terme » avec l'Inde, laquelle fut suivie quelques mois plus tard par une entente entre l'Inde et la France en matière de défense. L'entente entre Delhi et Paris comprend le transfert de technologie militaire française ainsi que des investissements de multinationales françaises dans l'industrie de défense indienne. Ces derniers concernent entre autres des usines de fabrication de missiles balistiques et d'ogives nucléaires.

Cette entente franco-indienne a une portée directe sur les relations indo-pakistanaises. Elle vient aussi contrecarrer les intérêts stratégiques américains en Asie centrale et du Sud. Alors que Washington achemine de l'aide militaire au Pakistan, l'Inde obtient l'appui de la France et de la Russie.

Au moment où le Pakistan et l'Inde étaient sur un pied de guerre après le 11 septembre, l'aviation américaine s'était virtuellement emparée de l'espace aérien pakistanais et de nombreuses installations militaires. Pendant ce temps, quelques semaines après le début du bombardement de l'Afghanistan en octobre 2001, la France et l'Inde effectuaient des exercices militaires conjoints dans la mer d'Arabie. Toujours dans la foulée du 11 septembre, l'Inde prenait livraison d'énormes quantités d'armement russe en raison de l'entente de coopération militaire indo-russe.

La nouvelle doctrine de Moscou
en matière de sécurité nationale

Au lendemain de la guerre froide, les États-Unis ont fait de l'Asie centrale et du Caucase une « région stratégique ». Cette politique ne consiste plus désormais à empêcher le communisme de se propager mais bien à empêcher la Russie et la Chine de devenir des concurrents capitalistes. C'est ainsi que les États-Unis ont augmenté leur présence militaire tout le long du 40e parallèle qui va de la Bosnie et du Kosovo jusqu'aux anciennes républiques soviétiques de Géorgie, d'Azerbaïdjan, du Turkménistan et d'Ouzbékistan, lesquelles ont toutes conclu des ententes militaires bilatérales avec Washington.

La guerre de 1999 en Yougoslavie et l'ouverture subséquente des hostilités en Tchétchénie en septembre 1999 ont marqué un point tournant dans les relations entre la Russie et les États-Unis. Elles ont aussi enclenché un rapprochement entre Moscou et Beijing ainsi que la signature de diverses ententes de coopération militaire entre la Russie et la Chine.

Les hauts cadres militaires et du renseignement étaient au courant de l'aide clandestine américaine fournie (par l'intermédiaire des Services de renseignements militaires du Pakistan [ISI]) aux deux principales factions tchétchènes[35]. Toutefois, jusque-là, il n'en avait jamais été question au niveau diplomatique. En novembre 1999, le ministre de la Défense russe Igor Sergueyev accusait Washington de soutenir les rebelles tchétchènes. Sortant d'une réunion à huis clos du haut commandement militaire russe, Sergueyev s'exprimait en ces termes :

> L'intérêt national des États-Unis veut que le conflit militaire dans le Caucase [en Tchétchénie] ait été allumé par des forces de l'extérieur [il est sous-entendu qu'il s'agit des services de renseignements occidentaux] [...] La politique de l'Occident est un défi lancé à la Russie dans le but ultime d'affaiblir sa position à l'échelle internationale et de l'exclure des zones géostratégiques[36].

Suite à la guerre tchétchène de 1999, une nouvelle « doctrine en matière de sécurité nationale », formulée par la Douma, a pris force de loi au début de 2000 sous la présidence (par intérim) de Vladimir Poutine. Fait à peine signalé dans les médias, les relations Est-Ouest venaient de prendre un tournant critique. Le document réaffirmait la construction d'un État russe fort, l'accroissement parallèle de la puissance militaire et le rétablissement du contrôle étatique sur les investissements étrangers.

Le document exposait de manière détaillée les « graves menaces » à la sécurité nationale et à la souveraineté de la Russie. En particulier, il faisait référence à « la consolidation des blocs et alliances militaro-politiques [notamment le GUUAM] ainsi qu'à « l'élargissement de l'OTAN vers l'est » tout en signalant « la possible émergence de bases militaires étrangères et d'une présence militaire majeure à proximité des frontières russes[37] ».

Le document confirme que « le terrorisme international mène une campagne ouverte pour déstabiliser la Russie ». Sans mentionner expressément les activités secrètes d'appui de la CIA aux groupes terroristes armés, notamment aux forces rebelles tchétchènes, il réclame néanmoins des « mesures adéquates en vue d'intercepter et de faire avorter les activités subversives et de renseignement menées par des États étrangers contre la Fédération de Russie[38] ».

La guerre larvée entre la Russie et les États-Unis

La pierre angulaire de la politique étrangère américaine fut d'encourager — sous le couvert du « maintien de la paix » et de la prétendue « résolution des différends »

— la formation de petits États proaméricains stratégiquement situés au cœur des énormes richesses pétrolières et gazières de la mer Caspienne :

> Les États-Unis doivent jouer un rôle de plus en plus
> actif afin de résoudre les différends qui surgissent
> dans cette région. Les frontières des républiques so-
> viétiques avaient été tracées de manière à empêcher
> les différentes nations constituantes de l'ancienne
> U.R.S.S. de faire sécession et non pour favoriser leur
> indépendance éventuelle [...] Ni l'Europe ni nos al-
> liés de l'Asie orientale ne sont en mesure de défendre
> nos intérêts [américains] dans ces régions. Si nous
> [les États-Unis] ne prenons pas les mesures pour
> tuer dans l'œuf les conflits et les crises de cette nature
> qui pointent déjà, cela risquerait d'envenimer nos
> relations avec l'Europe, voire avec le nord-est de
> l'Asie. Et cela pourrait encourager les pires déve-
> loppements politiques en Russie. Ce lien, ou cette
> connexion, accorde à la Transcaucasie et à l'Asie
> centrale une importance stratégique pour les États-
> Unis et leurs alliés, qu'il serait risqué de sous-estimer.
> En d'autres mots, les fruits de l'après-guerre froide
> sont loin d'avoir été récoltés. Fermer les yeux sur la
> Transcaucasie et l'Asie centrale pourrait signifier
> qu'une grande partie de cette récolte sera en quelque
> sorte perdue [39].

Le complexe militaro-industriel russe

En même temps que Moscou élaborait sa doctrine en
matière de sécurité nationale, l'État russe projetait de
reprendre le contrôle économique et financier de

certains secteurs clés du complexe militaro-industriel de la Russie. Il avait envisagé, par exemple, de réunir en une seule société les concepteurs et fabricants de toutes les composantes antiaériennes[40].

Ce projet de « recentralisation » de l'industrie de défense russe pour des considérations de sécurité nationale était également motivé par la fusion de concurrents occidentaux majeurs dans le domaine de l'approvisionnement militaire. Il a aussi été question d'acquérir de nouveaux moyens de production et d'accroître les capacités scientifiques afin de renforcer le potentiel militaire de la Russie et de rendre celle-ci mieux en mesure de soutenir la concurrence de ses rivaux occidentaux sur le marché mondial de l'armement.

En outre, la doctrine en matière de sécurité nationale « assouplit les critères selon lesquels la Russie pourrait utiliser l'arme nucléaire [...] ce qui serait admissible si l'existence même du pays était menacée[41] » :

> La Russie se réserve le droit d'employer toutes les forces et tous les moyens à sa disposition, y compris les armes nucléaires, si jamais une agression armée mettait en péril l'existence même de la Fédération de Russie en tant qu'État souverain et indépendant[42].

Le bouclier russe antimissiles et antinucléaire

En réponse à l'initiative de Washington baptisée « Guerre des étoiles », Moscou a conçu le « Bouclier russe antimissiles et antinucléaire » : ainsi le gouvernement russe annonçait en 1998 le développement d'une nouvelle génération de missiles balistiques intercontinentaux, appelés Topol-M (SS-27). Ces nouveaux missiles à un seul coup de départ (installés dans la région de Saratov) sont présentement en état d'alerte advenant une « première frappe préventive » de la part des États-Unis, éventualité qui constitue (compte tenu du 11 septembre) pour le Pentagone la principale hypothèse pour une guerre nucléaire. « Le Topol-M, léger et mobile, est conçu pour être déclenché à partir d'un véhicule. En raison de sa mobilité, il est mieux protégé contre une première frappe préventive qu'un missile tiré d'un silo[43]. »

Après l'adoption du Document sur la sécurité nationale (NSD) en 2000, le Kremlin confirmait que le recours à une première frappe d'ogives nucléaires ne pouvait être exclu « en cas d'attaque par des moyens purement conventionnels[44] ».

Le « revirement » politique sous le président Vladimir Poutine

Dès le tout début de son mandat, le président Vladimir Poutine — à l'instar de son prédécesseur au Kremlin Boris Eltsine — a contribué à renverser la doctrine de la sécurité nationale. Sa mise en œuvre au niveau politique a également été retardée.

Pour l'instant, l'orientation de la politique étrangère de l'administration Poutine paraît confuse et imprécise. Les autorités politiques et militaires accusent de profondes divisions. Sur le front diplomatique, le nouveau président a cherché à se « rapprocher » de

Washington et de l'Alliance militaire occidentale dans
la prétendue guerre au terrorisme. Il serait néanmoins
prématuré de conclure que les avances de Poutine
signifient le rejet de la doctrine russe de 2000 en
matière de sécurité nationale.

Il n'en reste pas moins que principalement sous l'impulsion du président Poutine, la politique étrangère
russe a connu un revirement important dans la foulée
des événements du 11 septembre. En contradiction
avec la Douma, l'administration Poutine a accepté le
processus d'« élargissement de l'OTAN » dans les pays
baltes (Lettonie, Lituanie et Estonie), ce qui laisse
entendre l'établissement de bases militaires de l'OTAN
à la frontière occidentale de la Russie. Par contre,
l'entente de coopération militaire signée par Moscou
avec Beijing après la guerre de 1999 en Yougoslavie
en est à peu près au point mort :

> La Chine surveille évidemment avec beaucoup
> d'inquiétude la Russie en train d'abandonner ses
> positions. La Chine s'inquiète également de la pré-
> sence de la *U.S. Air Force* à sa frontière, en Ouzbé-
> kistan, au Tadjikistan et en République kirghize […]
> Tout ce que M. Poutine avait acquis grâce à l'amé-
> lioration spectaculaire des relations de la Russie avec
> la Chine, l'Inde, le Viêtnam, Cuba et divers autres
> pays est disparu presque du jour au lendemain. Ce
> qui en est résulté se résume à un concept mis de
> l'avant par Gorbatchev, celui de « valeurs humaines
> communes » — c'est-à-dire la subordination des
> intérêts russes à ceux de l'Occident[45].

Fait ironique, le président russe a voulu appuyer la « guerre au terrorisme » des États-Unis qui est en fait dirigée contre Moscou. Washington vise pour tout dire à démanteler les intérêts stratégiques et économiques de la Russie dans le corridor eurasien, à faire fermer ses installations militaires ou à s'en emparer tout en transformant les anciennes républiques soviétiques (voire la Fédération de Russie) en des protectorats américains :

> Il devient évident que l'intention de joindre les rangs de l'OTAN exprimée de façon cavalière par M. Poutine l'année dernière [2000] témoigne d'une idée qui mûrit depuis longtemps (compte tenu des positions antérieures de Gorbatchev ou de Eltsine), celle d'une « intégration beaucoup plus poussée de la Fédération de Russie au sein de la communauté dite « internationale ». En réalité, il s'agit d'insérer la Russie dans le système économique, politique et militaire de l'Occident. Même à titre de partenaire subalterne. Même si cela exige de sacrifier une politique étrangère indépendante [46].

Notes

1. Cité dans Mary-Wynne Ashford, « Bombings Reignite Nuclear War Fears », *The Victoria Times-Colonist*, 13 mai 1999, p. A15. Mary-Wynne Ashford est coprésidente de l'Association internationale des médecins pour la prévention de la guerre nucléaire (IPPNW) qui a remporté le prix Nobel de la paix.

2. Mary-Wynne Ashford, *op. cit.*

3. Propos tenus par le général trois étoiles Viktor Tchetchevatov, commandant des forces terrestres dans l'Extrême-Orient russe, cités dans *The Boston Globe*, 8 avril 1999, c'est nous qui soulignons.

4. Ashford, *op. cit.*

5. Douglas Mattern, « The United States of Enron-Pentagone Inc. », Centre de recherche sur la mondialisation (CRM), <www.globalresearch.ca/articles/MAT202A.html>, février 2002.

6. *Ibid.*

7. Voir « Intelligence Funding and the War on Terror », CDI Terrorism Project, <www.cdi.org/terrorism/intel-funding-pr.cfm>, 2 février 2002. Voir aussi Patrick Martin, « Billions for War and Repression : Bush Budget for a Garrison State », World Socialist Website (WSWS), <www.wsws.org/articles/2002/feb2002/mili-f06.shtml>, 6 février 2002.

8. Federation of American Scientists (FAS), <www.fas.org/faspir/2001/>.

9. Cité dans *The Houston Chronicle*, 20 octobre 2001.

10. Cynthia Greer, *The Philadelphia Inquirer*, 16 octobre 2000.

11. *Ibid.*

12. George W. Bush, Discours sur l'état de l'Union, 29 janvier 2002.

13. Pour de plus amples renseignements sur le programme HAARP, voir Michel Chossudovsky, « New World Order Weapons have the Ability to Trigger Climate Change », Centre de recherche sur la mondialisation (CRM), <www.globalresearch.ca/articles/CHO201A.html>, janvier 2002.

14. Voir Bob Fitrakis, « Chemtrails Outlaw », Centre de recherche sur la mondialisation (CRM), <www.global research.ca/articles/FIT203A.html>, 6 mars 2002. Voir également Air University of the US Air Force, Rapport final AF 2025, <www.au.af.mil/au/2025/>.

15. John Isaacs, président du Council for a Livable World, cité dans Paul Richter, « U.S. Works Up Plan for Using Nuclear Arms », Los Angeles Times, 9 mars 2002.

16. Paul Richter, op. cit.

17. William Arkin, « Secret Plan Outlines the Unthinkable », Los Angeles Times, 9 mars 2002.

18. William Arkin, op. cit.

19. Ibid.

20. Mother Jones, « Taiwan Wants Bigger Slingshot », <www.mojones.com/arms/taiwan.html>, 2000.

21. Deutsche Press Agentur, 27 février 2000.

22. Japan Economic Newswire, 4 mars 2000.

23. Agence France-Presse (AFP), 12 décembre 2001.

24. William Arkin, op. cit.

25. Reuters, 5 février 2000.

26. Ibid.

27. Vago Muradian, « Pentagon Sees Bridge to Europe », Defense Daily, vol. 204, n° 40, 1er décembre 1999.

28. Voir également l'analyse de Michel Collon dans *Poker Menteur*, Bruxelles, Éditions EPO, 1998, p. 156.

29. « American Monsters, European Minnows : Defense Companies », *The Economist,* 13 janvier 1996.

30. BAES de Grande-Bretagne possède une part de 20 % dans Air Bus.

31. Le troisième producteur européen de matériel de défense est Thomson qui a, ces dernières années, entrepris divers projets avec le fabricant d'armes américain Raytheon.

32. Voir la page d'accueil de British Aerospace Systems (BAES) à l'adresse <www.baesystems.com/globalfootprint/ northamerica/northamerica.htm>.

33. « BAES, EADS Hopeful that Bush Will Broaden Transatlantic Cooperation », *Defense Daily International,* 29, 2001.

34. Interfax, 1er mars 2000.

35. Pour de plus amples détails, voir le Chapitre II.

36. *The New York Times,* 15 novembre 1999 ; voir également l'article de Steve Levine, *The New York Times,* 20 novembre 1999.

37. On peut consulter ce document sur le site de la Federation of American Scientists (FAS), <www.fas.org/nuke/guide/ Russie/doctrine/gazeta012400.htm>.

38. *Ibid.*

39. Joseph Jofi, *Pipeline Diplomacy : The Clinton Administration's Fight for Baku-Ceyhan,* Woodrow Wilson Case Study, n° 1, Princeton University, 1999.

40. Mikhail Kozyrev, « The White House Calls for the Fire », Vedomosti, 1er novembre 1999, p. 1.

41. Voir Andrew Jack, « Russia Turns Back Clock », *Financial Times,* Londres, 15 janvier 2000, p. 1.

42. Cité dans Nicolai Sokov, « Russia's New National Security Concept : The Nuclear Angle », Center for Non Proliferation

Studies, Monterrey, <cns.miis.edu/pubs/reports/sokov2. htm>, janvier 2000.

43. BBC, « Russia Deploys New Nuclear Missiles », Londres, 27 décembre 1998.

44. Stephen J. Blank, « Nuclear Strategy and Nuclear Proliferation in Russian Commission to Assess the Ballistic Missile Threat to the United States », Appendix III : Unclassified Working Papers, Federation of American Scientists (FAS), <www.fas.org/irp/threat/missile/rumsfeld/ toc-3.htm>, Washington DC, sans date.

45. V. Tetekin, « Putin's Ten Blows », Centre de recherche sur la mondialisation (CRM) <www.globalresearch.ca/articles/ TET112A.html>, 27 décembre 2001.

46. *Ibid.*

CHAPITRE VIII

L'empire américain

Guerre sans frontières

Le 11 septembre représente un important virage historique. La dite « campagne contre le terrorisme » constitue une guerre de conquête dont les conséquences affectent l'avenir de l'humanité.

La Nouvelle Guerre de l'Amérique n'est pas confinée à l'Asie centrale. Sous prétexte d'une « guerre au terrorisme », l'administration Bush a annoncé le prolongement des opérations militaires américaines vers de nouvelles frontières qui comprennent l'Irak, l'Iran et la Corée du Nord. Tout en accusant ces « États voyous » de mettre au point des « armes de destruction massive », Washington n'a pas exclu le recours aux armes nucléaires dans le cadre de sa « guerre au terrorisme ».

En outre, Israël, qui possède maintenant un arsenal d'au moins 200 armes thermonucléaires munies d'un

système de vecteurs perfectionné, « a fait nombre
de menaces nucléaires voilées à l'endroit de pays
arabes [1] ».

Inutile de dire que la présente guerre menée par
Israël contre le peuple palestinien fait partie intégrante
de la stratégie de la Nouvelle Guerre de l'Amérique.
Une invasion de l'Irak mettrait inévitablement le feu
aux poudres dans tout le Moyen-Orient et Israël s'ali-
gnerait alors certainement dans l'axe militaire anglo-
américain.

Les planificateurs militaires du Pentagone ont déjà
tiré « les plans d'une invasion de l'Irak sur deux fronts
à laquelle participeraient 100 000 soldats américains [2] ». Des canonnières sont déjà en état d'alerte
dans le golfe d'Oman. « Des plans sont dressés pour
la Somalie, le Soudan, l'Irak, l'Indonésie et le Yémen
[...] Des forces spéciales et des agents américains du
renseignement sont à l'œuvre, au grand jour aussi bien
que clandestinement, auprès des milices ou forces militaires de tous ces pays [3]. » Les États-Unis ont demandé
à la Grande-Bretagne, pour sa part, « d'aider à mettre
au point des frappes militaires contre la Somalie en
vue de la prochaine phase de la campagne globale
contre le réseau al-Qaïda d'Oussama ben Laden [4] ».

Une guerre illégale

Lorsqu'elle a déclenché cette guerre le 7 octobre 2001,
l'administration Bush — jouissant du soutien et des
renforts militaires britanniques ainsi que du consentement préalable des gouvernements faisant partie de

l'alliance militaire occidentale — agissait en violation
flagrante du droit international :

> Cette guerre est illégale parce qu'elle est une vio-
> lation flagrante des dispositions de la Charte des
> Nations Unies [...] En fait, non seulement elle est
> illégale mais, encore, criminelle. Elle constitue ce
> que le tribunal de Nuremberg a qualifié de « crime
> suprême », un crime contre la paix [5].

Ces mêmes leaders politiques — responsables de la
mort de milliers de civils en Afghanistan — ont lancé
dans leurs pays respectifs un processus qui redéfinit
en termes juridiques — dans l'esprit de la législation
dite « antiterroriste » — les mots « terrorisme » et
« crimes de guerre ».

Autrement dit, les protagonistes du terrorisme
d'État — c'est-à-dire nos élus politiques — peuvent
maintenant décider de manière arbitraire, par le truchement de leurs tribunaux « légalement constitués »,
qui sont des « criminels de guerre » et qui sont des
« terroristes ». Il est ironique de penser que ce sont
justement des criminels de guerre qui décident, du haut
de leur autorité, de ceux qui seront poursuivis en justice. En dérogeant par ailleurs à la primauté du droit
et en créant des tribunaux irréguliers, ils auront les
« mains propres » — ils se seront mis à l'abri des accusations de crime de guerre car ce sont ces tribunaux
militaires qui, ultimement, décideront si un accusé doit
être exécuté.

Nous nous acheminons donc rapidement vers un
« système totalitaire » où des « criminels de guerre »

occupent de manière tout à fait légitime — sous le couvert de la « démocratie » — des positions revêtues de l'autorité politique au nom des citoyens.

L'Empire américain

Le déclenchement de cette guerre coïncide en outre avec une dépression économique mondiale qui va appauvrir des centaines de millions de personnes. Tandis que régresse l'économie civile, d'énormes ressources financières sont canalisées vers la machine de guerre américaine. Le complexe militaro-industriel américain met présentement au point des systèmes d'armement des plus perfectionnés grâce auxquels les États-Unis atteindront la prédominance militaire et économique dans le monde, non seulement en regard de la Chine et de la Russie mais encore de l'Union européenne, laquelle nuit, aux yeux de Washington, à l'hégémonie mondiale des États-Unis.

La guerre menée par les Américains supposément contre le terrorisme repose sur la militarisation de vastes régions du monde, qui va permettre la consolidation de ce qu'il faut bien appeler l'« Empire américain ». Depuis la guerre de 1999 en Yougoslavie, un axe militaire anglo-américain a vu le jour, fondé sur une coordination étroite entre la Grande-Bretagne et les États-Unis en matière de défense, de politique étrangère et du renseignement. Israël constitue au Moyen-Orient le pivot de l'axe anglo-américain. L'objectif caché de cette guerre est de « recoloniser » non seulement la Chine et les pays de l'ancien bloc soviétique, mais encore l'Iran, l'Irak et la péninsule indienne.

Guerre et mondialisation vont main dans la main. L'*establishment* financier de Wall Street, les mégapétrolières anglo-américaines et les producteurs américains et britanniques de matériel de défense forment incontestablement la trame de ce processus qui consiste à conquérir les nouvelles frontières économiques. L'objectif ultime de cette « Nouvelle Guerre de l'Amérique » est de transformer des nations souveraines en des territoires ouverts et accessibles (ou des « zones de libre-échange »), tant par la voie militaire que par l'imposition de réformes économiques mortelles, tendant à la libéralisation du marché.

Définie par Washington en 1999 dans le cadre de la Stratégie de la route de la soie (SRS), la Nouvelle Guerre de l'Amérique est en train de détruire une région entière qui a été, au fil de l'histoire, le berceau des anciennes civilisations ayant servi de lien entre l'Europe occidentale et l'Extrême-Orient. Washington s'est servi du soutien en sous-main de la Central Intelligence Agency (CIA) canalisé par l'entremise des services secrets pakistanais aux insurrections islamiques dans les pays de l'ancienne Union soviétique de même qu'au Moyen-Orient, en Chine et en Inde, comme d'un instrument de conquête, c'est-à-dire pour déstabiliser délibérément des sociétés nationales et favoriser les divisions ethniques et sociales.

De façon générale, la guerre et la « libéralisation des marchés » contribuent à détruire ces « civilisations » (d'Asie centrale et du Moyen-Orient) en les précipitant dans l'extrême pauvreté.

Les partenaires de l'OTAN

Malgré de profondes fissures au sein de l'alliance militaire occidentale, les partenaires des États-Unis au sein de l'Organisation du traité de l'Atlantique Nord (OTAN), dont l'Allemagne, la France et l'Italie, ont néanmoins endossé l'opération militaire de 2001 menée par les États-Unis et la Grande-Bretagne contre l'Afghanistan. En dépit de leurs divergences, l'Europe et l'Amérique paraissent unies dans ce projet de « recolonisation » et de « partition » d'un immense territoire qui s'étend de l'Europe de l'Est et des Balkans jusqu'à la frontière occidentale de la Chine.

À l'intérieur de cette vaste région, on s'est tout de même entendu sur la répartition de « sphères d'influence » principalement entre l'Allemagne et les États-Unis. Ce découpage doit être compris en termes historiques. À certains points de vue, il ressemble à la partition sur laquelle les puissances européennes étaient tombées d'accord lors du congrès de Berlin, et à la conquête territoriale de l'Afrique à la fin du XIXe siècle. La politique coloniale en Chine, relative aux traités sur les ports, avait été elle aussi soigneusement coordonnée et adoptée par les mêmes puissances impérialistes, peu de temps avant la première guerre mondiale.

L'appareil militaire et du renseignement

Pendant que les institutions civiles de l'État assument de plus en plus un rôle de façade, les élus politiques de la plupart des « démocraties » occidentales (dont les États-Unis, la Grande-Bretagne et le Canada), exercent de plus en plus un rôle nominal dans la prise de décisions. En vertu de ce système totalitaire en pleine évolution, les institutions civiles de l'État sont supplantées par l'appareil policier, militaire et du renseignement. Aux États-Unis, la CIA en est venue à jouer de fait le rôle de «gouvernement parallèle», responsable de l'élaboration et de la mise en œuvre de la politique étrangère américaine.

De plus, aux États-Unis, l'appareil du renseignement a été intégré aux rouages du système financier. De hauts responsables des services militaires et du renseignement sont devenus des «partenaires» en bonne et due forme des plus grandes sociétés financières de Wall Street.

Ainsi que nous l'avons mentionné, le budget «officiel» de la CIA dépasse annuellement les 30 milliards de dollars. Cette somme exorbitante ne comprend pas les recettes de plusieurs milliards de dollars découlant des opérations secrètes de la CIA. L'enquête menée par Alfred McCoy a montré que depuis la guerre du Viêtnam, la CIA s'est servie de l'argent sale provenant du narcotrafic pour financer ses opérations secrètes effectuées dans le cadre de la politique étrangère de Washington[6].

Grâce aux énormes richesses que les profits du trafic des stupéfiants lui ont permis d'accumuler, la CIA est devenue une puissante entité financière. Celle-ci fonctionne au moyen de tout en réseau de sociétés-écran, de banques et d'institutions financières qui lui fournissent un pouvoir et une influence considérables.

Ces « compagnies » qui bénéficient du parrainage de la CIA se sont avec le temps imbriquées aux sociétés d'armement, aux pétrolières, ainsi qu'au secteur des banques et des services financiers, à celui de l'immobilier, et ainsi de suite. Des milliards de narcodollars ont ainsi été canalisés — avec l'aide de la CIA — dans la sphère des opérations bancaires « légitimes » où ils servent à financer des investissements dans diverses activités économiques.

Autrement dit, les activités secrètes de la CIA jouent un rôle permettant à des intérêts financiers et bancaires d'encaisser les profits découlant du narcotrafic. À cet égard, l'Afghanistan prend un sens stratégique, étant le plus gros producteur d'héroïne au monde.

Le gouvernement taliban a été écrasé sous les ordres de l'administration Bush parce qu'il avait (sous l'impulsion des Nations Unies) réduit de plus de 90 % la production d'opium. Le bombardement de l'Afghanistan a permis de rétablir le commerce de la drogue, protégé par la CIA, qui rapporte des milliards de dollars. Dès la mise en place du gouvernement fantoche des États-Unis dirigé par le premier ministre Hamid Karzaï, la production d'opium a repris de plus belle au rythme des niveaux antérieurs.

La guerre, une opération qui rapporte

En outre, les milieux militaires et du renseignement ont développé au sein du secteur privé, des opérations fort rentables dans les domaines des services de mercenaires, des contrats de défense, du renseignement, etc. Des hauts responsables de l'administration Bush

— dont le vice-président Dick Cheney par l'entremise de sa société, Halliburton — entretiennent des liens avec ces diverses entreprises.

Sous l'égide du Nouvel Ordre mondial, la poursuite du profit repose sur la « manipulation » politique, les pots-de-vin versés à de hauts responsables, l'exercice d'opérations secrètes dans le domaine du renseignement, tout cela réalisé pour le compte de puissants intérêts économiques. Sous le parrainage des États-Unis, des groupes paramilitaires s'entraînent de par le monde et sont équipés par des mercenaires du secteur privé, engagés par le Pentagone.

En somme, au lieu d'être placée sous la gouverne de l'État, la guerre est subordonnée à la poursuite d'intérêts économiques privés.

Outre leurs relations avec Wall Street, les agences du renseignement dont la CIA ont établi des liens secrets avec de puissants syndicats du crime engagés dans le commerce de la drogue. Ces derniers ont aussi, grâce au blanchiment d'argent, investi lourdement dans des « entreprises légitimes ».

Le Nouvel Ordre mondial fait en sorte qu'il n'existe pas de nette démarcation entre le « capital organisé » et le « crime organisé ». Autrement dit, la restructuration du commerce et des finances à l'échelle mondiale tend à favoriser la « mondialisation » simultanée de l'économie criminelle, intimement liée au grand capital. L'appareil de l'État est à son tour criminalisé. Nombre de témoignages font ressortir les liens entre des décideurs politiques de premier plan chargés de la politique étrangère au sein de l'administration Bush, et les cartels de la drogue[7].

La « dollarisation »

En cherchant à prendre le contrôle des immenses réserves pétrolifères et des pipelines situés le long du corridor eurasien pour le compte des mégapétrolières anglo-américaines, Washington vise ultimement à déstabiliser puis à coloniser aussi bien la Chine que la Russie, c'est-à-dire à mettre la main sur leur système financier national et à contrôler leur politique monétaire pour finir par leur imposer le dollar américain en tant que monnaie nationale. Cet objectif a été partiellement atteint dans certains pays de l'ancienne Union soviétique où le dollar américain joue effectivement le rôle de monnaie nationale.

Pendant que les États-Unis établissaient une présence militaire permanente à la frontière occidentale de la Chine, le système bancaire chinois « s'ouvrait » aux banques et aux institutions financières de l'Occident à la suite de l'accession de la Chine à l'Organisation mondiale du commerce (OMC), qui fut finalisée à peine quelques semaines après les attaques terroristes du 11 septembre.

La tendance en Chine est à la déstabilisation du système bancaire de l'État qui procure du crédit à des dizaines de milliers d'entreprises et de producteurs agricoles. Fait ironique, le système de crédit étatique a pourtant soutenu la Chine dans son rôle de plus grande « colonie industrielle » de l'Occident, en tant que productrice de biens fabriqués par une main-d'œuvre bon marché à destination de l'Europe et de l'Amérique.

La déréglementation du crédit de l'État va déclencher un flot de faillites qui dévasteront tout probablement le paysage économique chinois. La restructuration des institutions financières chinoises pourrait, à son tour, aboutir d'ici quelques années à la déstabilisation de la monnaie nationale, le renminbi, en raison des opérations spéculatives menées sur le marché des devises, et paver la voie à une « colonisation » économique et politique encore plus vigoureuse par le capital étranger.

Autrement dit, la manipulation pure et simple du marché des changes par des « spéculateurs institutionnels » telle qu'elle s'est produite lors de la crise asiatique de 1997 constitue elle aussi un instrument puissant qui contribue à la fracture des économies nationales. En ce sens, la « guerre financière » se joue avec des instruments de spéculation complexes dont toute la gamme des produits dérivés, des opérations de change à terme, des options sur devises, des fonds spéculatifs, des fonds indiciels, etc. Ces instruments de spéculation ont été utilisés dans le but ultime de s'emparer de la richesse financière et de mettre la main sur le système de production. Comme le dit le premier ministre de Malaisie Mahathir Mohamad : « Cette dévaluation délibérée de la monnaie d'un pays par des cambistes dans le seul but de réaliser des gains enfreint gravement les droits de nations souveraines[8]. »

En parallèle avec la libéralisation du commerce et la déréglementation de l'agriculture et de l'industrie

Encadré 8.1

**La « guerre financière », un instrument
de conquête**

En Corée, en Indonésie et en Thaïlande, les voûtes des banques centrales ont été pillées par les spéculateurs institutionnels pendant que les autorités monétaires s'efforçaient en vain de soutenir la devise nationale. Les attaques spéculatives lancées contre ces pays constituent à bien des égards le « scénario » en vue d'un processus semblable qui visera cette fois la monnaie nationale chinoise, le renminbi.

En 1997, plus de 100 milliards de dollars formant les réserves des banques centrales d'Asie furent confisqués et transférés (en l'espace de quelques mois) entre les mains de financiers privés. Les dévaluations qui ont suivi ont provoqué la dégringolade de l'emploi et semé à peu près du jour au lendemain la pauvreté parmi les populations de ces pays (Corée, Thaïlande, Indonésie) qui avaient, depuis la dernière guerre mondiale, enregistré des progrès économiques et sociaux significatifs.

La fraude financière sur le marché des changes a déstabilisé les économies nationales et créé, par conséquent, les conditions préalables au pillage de l'économie réelle de ces pays asiatiques, effectué par des investisseurs étrangers qualifiés de « vautours ». Cette crise mondiale marque à bien des égards l'effondrement du système bancaire national, ce qui

signifie une dérogation à la souveraineté économique nationale et l'incapacité de l'État national
de contrôler la création monétaire pour le bien de
la société. C'est donc dire que les réserves monétaires sous le contrôle des grandes banques privées
sont de loin supérieures aux capacités limitées des
banques centrales. Ces dernières ne sont plus en
mesure, individuellement ou collectivement, d'endiguer la marée spéculative. La politique monétaire
est entre les mains de créanciers privés qui ont le
pouvoir de geler les dépenses publiques, d'empêcher
le versement régulier des salaires à des millions de
travailleurs (comme dans l'ex-Union soviétique) et
de précipiter l'effondrement de la production et des
programmes sociaux. À mesure que la crise prend
de l'ampleur, les raids spéculatifs contre les banques centrales s'étendent à la Chine, à l'Amérique
latine et au Moyen-Orient, entraînant dans leur
sillage des catastrophes économiques et sociales[9].

(conformément aux règles de l'OMC), la tendance en
Chine est aux mises à pied massives et à l'implosion
sociale. À leur tour, les opérations en sous-main de la
CIA commanditées par le gouvernement des États-Unis
au Tibet et dans la région autonome du Xinjiang-
Ouïgour en appui aux mouvements sécessionnistes
favorisent l'instabilité politique, laquelle contribue à
soutenir le processus de « dollarisation ».

Partout dans le monde, la déréglementation des institutions bancaires nationales crée des ravages. L'objectif de Washington consiste à affaiblir l'euro dans le but d'imposer le dollar américain comme «monnaie mondiale», dans un affrontement avec les puissants intérêts bancaires qui soutiennent le système monétaire européen. La «militarisation» de vastes régions du monde (là où, par exemple, le dollar et l'euro se font concurrence) tend à faciliter le processus de «dollarisation».

Militarisation et dollarisation de l'hémisphère occidental

Dans l'hémisphère occidental, Wall Street a déjà étendu son contrôle en écartant les institutions financières nationales ou en prenant leur place. Avec l'aide du Fonds monétaire international (FMI), Washington fait aussi pression sur des pays latino-américains pour les contraindre à adopter le dollar américain en tant que monnaie nationale. Le billet vert a déjà été imposé à cinq de ces pays, soit l'Équateur, l'Argentine, le Panama, le Salvador et le Guatemala.

Les conséquences socioéconomiques de la «dollarisation» ont été dévastatrices. Wall Street et la Réserve fédérale américaine contrôlent directement la politique monétaire de ces pays. Toute la structure des dépenses publiques est entre les mains de créanciers américains. Les salaires réels ont chuté, les programmes sociaux se sont effondrés et de grandes couches de la population ont été acculées à la misère.

Militarisation et « dollarisation » sont les deux piliers de l'Empire américain. À cet égard, le Plan Colombia financé par l'aide militaire américaine constitue le fondement de la militarisation de la région andine, en Amérique du Sud, dans le but de promouvoir le « libre-échange » et la dollarisation.

Les mêmes pétrolières anglo-américaines (Chevron, BP, Exxon) qui cherchent à s'emparer des richesses de l'ex-Union soviétique se retrouvent dans la région andine de l'Amérique du Sud. Sous le prétexte de la « guerre aux stupéfiants » et de la « guerre au terrorisme », la politique étrangère américaine a pour but la militarisation de la région andine. Il s'agit, à vrai dire, de protéger aussi bien les pipelines que les puissants intérêts financiers qui se cachent derrière le commerce de la drogue, lequel rapporte des milliards de dollars. En Colombie, de nombreux groupes paramilitaires, « responsables de centaines d'assassinats et de milliers de disparitions », sont financés par l'aide militaire américaine sous l'égide du Plan Colombia [10].

La mise en œuvre du Plan Colombia est réalisée pour sa part dans le respect rigoureux des « lignes directrices » imposées par le FMI. C'est ainsi qu'en Colombie, par exemple, les recettes économiques du FMI ont entraîné l'anéantissement de l'industrie manufacturière et de l'agriculture nationales. Dans l'ensemble, la militarisation du continent s'inscrit à part entière dans le programme de « libéralisation » du commerce. La Zone de libre-échange des Amériques (ZLÉA) se négocie en parallèle avec un protocole de coopération militaire signé par 27 pays des Amériques (appelé la Déclaration de Manaus), dont le but est de placer l'hémisphère au complet sous le contrôle militaire des États-Unis.

Les conséquences désastreuses de la « dollarisation » sont déjà manifestes en Amérique latine. La crise socioéconomique qui sévit en Argentine découle en droite ligne de la « dollarisation » imposée par Wall Street et la Réserve fédérale américaine qui ont la mainmise sur la politique monétaire. En Argentine, la structure des dépenses publiques est entièrement contrôlée par les créanciers américains. Le salaire réel est brimé, les programmes sociaux disparaissent et la majorité de la population est plongée dans la misère. Nul doute que le modèle argentin orchestré par Wall Street va se répéter ailleurs à mesure que l'Empire américain étend sa poigne invisible sur d'autres parties du monde.

Notes

1. John Steinbach, « Israeli Weapons of Mass Destruction : a Threat to Peace », DC Iraq Coalition, Centre de recherche sur la mondialisation (CRM), <www.globalresearch.ca/articles/STE203A.html>, 3 mars 2002.

2. Ian Bruce, « Pentagon Draws up Plans for Invasion of Iraq », *The Herald* (Écosse), 31 janvier 2002.

3. *Florida Times-Union*, Jacksonville, 17 février 2002.

4. Deirdre Griswold, « Will Somalia be Next ? U.S. Targets Another Poor Country », *Workers World*, Centre de recherche sur la mondialisation (CRM), <www.global research.ca/articles/GRI112A.html>, 13 décembre 2001.

5. Michael Mandel, « This War is Illegal and Immoral : It Will Not Prevent Terrorism », Science Peace Forum & Teach-In, Centre de recherche sur la mondialisation (CRM), <www.globalresearch.ca/articles/MAN112A.html>, 9 décembre 2001.

6. Alfred McCoy, *op. cit.*

7. Pour de plus amples détails, voir Michel Chossudovsky, « Globalization and the Criminalisation of Economic Activity », *Covert Action Quarterly*, n° 58, automne 1996 ; « Financial Scams and the Bush Family », Michel Chossudovsky, Centre de recherche sur la mondialisation (CRM), <www.globalresearch.ca/articles/CHO202C.html>, 18 février 2002.

8. Cité dans Michel Chossudovsky, « Financial Warfare », Third World Network, Penang, <www.twnside.org.sg/title/trig-cn.htm>, 1999.

9. Michel Chossudovsky, « Financial Warfare », *op. cit.*

10. Voir Kim Alphandary, « Colombia War : Highest Priority »,
    Centre de recherche sur la mondialisation (CRM),
    <www.globalresearch.ca/articles/ALP204A.html>, 5 avril
    2002.

CHAPITRE IX

Désarmer le Nouvel Ordre mondial

LA PRÉTENDUE « guerre contre le terrorisme » est un mensonge. Il existe maintes preuves que le prétexte pour mener cette guerre a été fabriqué de toutes pièces.

Le mensonge médiatique appuie le mensonge politique. La réalité telle que présentée par les grands médias a été transformée du tout au tout.

Des actes de guerre sont présentés comme des « interventions humanitaires » en vue de rétablir la « démocratie ».

L'occupation militaire et l'assassinat de civils sont assimilés à des opérations de « maintien de la paix ».

La violation des libertés civiles — par l'adoption de lois dites « antiterroristes » — est décrite comme un moyen d'assurer la « sécurité intérieure » et de préserver les libertés civiles.

Entre-temps, les dépenses en matière de santé et d'éducation sont comprimées afin de mieux financer le complexe militaro-industriel et l'État policier.

L'Empire américain réduit à l'état de miséreux des centaines de millions de personnes à travers le monde et transforme des pays en des territoires facilitant l'exercice de son emprise.

Des protectorats américains sont établis avec la bénédiction de la soi-disant « communauté internationale ».

Des « gouvernements provisoires » sont mis en place. Des pantins politiques sont désignés par les géants du pétrole américain avec l'aval des Nations Unies qui jouent de plus en plus le rôle de tamponneur au service de l'administration américaine.

Dans une perspective historique, le « 11 septembre » constitue la pire fraude de l'histoire américaine.

Un État totalitaire

Nous nous acheminons rapidement vers un système totalitaire, où les institutions militaires et les organes de répression policière et de gestion économique (imposant par exemple la « médecine économique de cheval ») agissent de manière coordonnée.

Ce système repose sur la manipulation de l'opinion publique. La réalité telle que « fabriquée » par l'administration Bush devient une vérité indélébile à partir de laquelle on cherche à atteindre par la voie politique et médiatique un vaste consensus. À cet égard, les grands médias constituent un instrument du système totalitaire. Ils ont soigneusement écarté d'emblée tout effort en vue de comprendre la crise du 11 septembre.

Des millions de personnes ont été induites en erreur quant aux causes et aux conséquences du 11 septembre.

Tandis que l'administration Bush met en œuvre sa « guerre au terrorisme », les faits (dont une montagne de documents officiels) confirment sans équivoque que les gouvernements américains ont les uns après les autres, depuis la présidence de Jimmy Carter, soutenu, encouragé et hébergé le terrorisme international.

Ce fait à lui seul doit être tu, car si jamais cela venait aux oreilles des simples citoyens, le bien-fondé de la prétendue « guerre au terrorisme » s'écroulerait comme un château de cartes. Par le fait même, la légitimité des principaux intervenants du système se trouverait menacée ; ils adopteraient donc de nouvelles lois afin de se protéger :

> Nous sommes en train de devenir une république bananière ici même aux États-Unis, avec des « disparitions » de personnes, un phénomène auquel nous avaient habitués les dictatures latino-américaines des années 1970 et 1980 soutenues en cela, soit dit en passant, par le gouvernement américain [1].

Désarmer le Nouvel Ordre mondial

La militarisation, les opérations de renseignement clandestines et la guerre en bonne et due forme viennent toutes appuyer la mondialisation, qui repose sur l'extension de l'économie du « libre marché » vers de nouvelles frontières. Le perfectionnement de la machine de guerre américaine soutient une accumulation sans précédent de la richesse aux mains d'une minorité sociale et met en péril la survie de l'humanité.

Il importe de connaître et de comprendre les dangers d'une troisième guerre mondiale.

Afin de désarmer le Nouvel Ordre mondial, il faut révéler au grand jour les mécanismes de ce système totalitaire pour s'en faire une idée juste. Il n'appartient pas seulement à une poignée d'écrivains et d'analystes de comprendre la situation ; il faut aussi en saisir tous nos concitoyens dont la vie est directement menacée par cette guerre censée être livrée contre le terrorisme.

Il faut savoir comment le système fonctionne pour pouvoir développer une cohésion au sein de mouvements sociaux qui endigueront cette vague et empêcheront le déclenchement d'une nouvelle guerre mondiale.

Les rouages du capitalisme mondial et de l'économie de « libre marché » sont intimement imbriqués aux officines du pouvoir. Et les puissances sur lesquelles repose ce système sont celles des banques et des institutions financières mondiales, du complexe militaro-industriel, des géants du pétrole et de l'énergie, des conglomérats biotechnologiques et pharmaceutiques ainsi que des médias superpuissants et des géants des communications qui fabriquent les nouvelles et falsifient effrontément le cours des événements mondiaux.

Pour parvenir à désarmer ce système, il ne suffit pas de réclamer la « démocratisation » du système financier accompagnée de quelques « réformes » des institutions internationales (Fonds monétaire international [FMI], Banque mondiale, Organisation mondiale du commerce [OMC], et Organisation des Nations Unies [ONU]). Ces mesures ne pourraient pas modifier le mécanisme même du capitalisme mondial, ni encore ébranler un tant soit peu les structures sous-jacentes du pouvoir. À vrai dire, non seulement le Nouvel Ordre mondial permet ce genre de « réformes » qui ne sont que des cataplasmes, mais il les encourage, car elles donnent l'illusion que les « mondialistes » sont en quelque sorte en faveur du progrès.

Renforcer l'illusion de la démocratie

L'administration Bush recherche la « légitimité » auprès de l'opinion publique afin que celle-ci reconnaisse qu'avec le lancement de sa « guerre au terrorisme », elle agit dans l'intérêt supérieur de la société, pleinement appuyée en cela par la population américaine et soutenue par la « communauté internationale ».

Pour pouvoir acquérir cette « légitimité », l'administration Bush a besoin non seulement de maintenir les mensonges sur lesquels se fonde la « guerre au terrorisme », mais encore de renforcer l'illusion que la démocratie constitutionnelle continue à prévaloir.

Le discours sur la liberté et la démocratie est nécessaire au processus de mise en place d'un État totalitaire. Tout en encourageant une « dissidence légitime », le maintien de la démocratie exige, selon l'administration Bush, de mettre dans la balance les libertés civiles et la sécurité publique :

Notre réaction à la menace terroriste dans le contexte de la vulnérabilité du système aura des effets
tant sur le coût des moyens pris pour assurer la
sécurité que sur les libertés civiles si chères à tant
de collectivités [2].

« Fabriquer de la dissidence »

Pour donner l'illusion d'une démocratie fonctionnelle,
les « mondialistes » doivent « fabriquer de la dissidence ».
Afin de paraître légitimes, ils doivent s'employer à
susciter le genre de « critique » qui ne remet pas en
question « leur droit de gouverner ».

Ce discours contradictoire libertaire constitue le
fondement de ce système totalitaire en évolution. Il a
ultimement pour objectif de désarmer un authentique
mouvement de masse contre la guerre et la mondialisation. Ainsi, les dirigeants des confédérations
syndicales et des grandes organisations non gouvernementales (ONG) sont invités, en compagnie d'uni-
versitaires et d'analystes triés sur le volet, à participer
avec les banquiers, les chefs d'entreprise et les politiciens à l'élaboration des réformes.

Il s'agit de sélectionner avec soin les chefs de file de
la société civile qui sont « dignes de confiance » et de
les intégrer au « dialogue ». L'idée consiste à les écarter de leur base, à leur donner l'impression qu'ils sont
des « citoyens du monde » en train de représenter leurs
semblables, mais à les encourager à agir de manière à
favoriser les intérêts du pouvoir financier :

> Il faut que les chefs d'entreprise, de gouvernement et de la société civile aient suffisamment de créativité pour concevoir de nouvelles formules institutionnelles en vue d'une économie mondiale qui soit plus inclusive[3].

Depuis le 11 septembre, ce rituel de la « participation de la société civile » remplit d'importantes fonctions. Les leaders « progressistes » doivent d'abord accepter la prémisse selon laquelle l'administration Bush mène une campagne contre le terrorisme international, en raison des événements du 11 septembre. De l'avis d'Edward Herman et de David Peterson, cette complaisance de la gauche « qui revient à se fendre en quatre pour minimiser l'importance du rôle terroriste exercé par le gouvernement des États-Unis finit par dénaturer la situation en cours[4] ».

Une fois acceptée cette prémisse selon laquelle l'objectif du gouvernement américain est de mettre au pas le terrorisme international, ces intellectuels de gauche et critiques de la société civile sont invités à exprimer leurs « réserves » sur la guerre menée par Washington, ses répercussions sur la population civile ou leurs préoccupations humanitaires touchant la dérogation à la primauté du droit.

Dans le cadre de ce rituel, la justification première, et carrément fausse, de cette guerre n'est jamais remise en question en dépit des nombreux documents qui montrent que la dite « guerre au terrorisme » est de la pure fabrication. Par exemple, de nombreuses ONG ont accusé l'administration Bush d'avoir enfreint la

Convention de Genève de 1949 sur le traitement des prisonniers de guerre, sans jamais par contre mettre en doute la légitimité fondamentale de la « guerre au terrorisme ».

Alors que les « mondialistes » sont soumis à une critique qualifiée de « positive », jamais ne remet-on en question leur droit légitime de gouverner. Tout ce que font cette « complaisance de la gauche » et ce « mixage de la société civile », c'est de renforcer l'emprise des élites militaires et du renseignement ainsi que des grands dirigeants d'entreprise tout en affaiblissant le véritable mouvement de contestation.

Pire encore, la « complaisance de la gauche » divise le mouvement de contestation. Il sépare le mouvement contre la guerre du mouvement contre la mondialisation. Il empêche le développement d'un mouvement plus global contre l'Empire américain. En ne dénonçant pas les faussetés sur lesquelles repose la « guerre au terrorisme », les grandes centrales syndicales et de nombreuses ONG ont de part et d'autre contribué à leur insu à faire échec à la mise sur pied d'un véritable mouvement d'opposition au Nouvel Ordre mondial.

Comme le disait John Sweeney, président de l'AFL-CIO :

> Nous sommes tous en colère, mais sachons diriger cette colère contre notre véritable ennemi. Qu'on traduise en justice les terroristes et ceux qui les ont soutenus [5].

Les mouvements sociaux

Nous sommes au carrefour de la lutte sociale la plus importante de l'histoire, une lutte qui exige un degré de solidarité et d'engagement sans précédent. La Nouvelle Guerre américaine, qui prévoit le recours de « première frappe » aux armes nucléaires, menace l'avenir de l'humanité telle que nous la connaissons aujourd'hui. Et cela ne saurait être une exagération.

Certains pensent qu'il est possible de changer le système en concevant de nouvelles idées (ou « paradigmes ») touchant de « nouvelles formes d'organisation économique et sociale », la politique gouvernementale n'ayant plus en quelque sorte qu'à s'adapter à ces nouveaux concepts et à les englober. Ce point de vue — à la mode parmi les organisations de la société civile — préconise le dialogue, le débat et la discussion avec la classe politique à propos des réformes et des solutions de rechange. Celles-ci, pourtant, ne remettent pas en question la légitimité des élus qui ont sans équivoque endossé la « guerre au terrorisme ». Elles ont souvent pour effet de banaliser la gravité de la crise issue du 11 septembre. Elles empêchent de reconnaître que les États-Unis sont embarqués dans une guerre de conquête aux conséquences dévastatrices pour l'avenir de l'humanité. Elles ne tiennent pas compte de la relation entre les objectifs de la guerre et ceux du capitalisme mondial. Bref, elles évitent de regarder derrière le rideau pour voir quels sont ceux qui tirent les ficelles.

Par complaisance, on ne se préoccupe pas non plus de savoir que les chefs d'État et de gouvernement

occidentaux, par leur acceptation de la guerre américaine, ont carrément violé le droit international et se
sont rendus coupables — tout autant que l'administration Bush — de crimes contre l'humanité.

Ce n'est pas en concevant dans l'abstrait un « système économique et social de rechange » au moyen
d'un ensemble de principes qu'on pourra s'attaquer
au Nouvel Ordre mondial et au pouvoir qui lui est
sous-jacent.

La formulation abstraite d'une « solution de rechange » n'est pas du tout garante d'un changement
significatif ni d'une modification des rouages du capitalisme contemporain. Ces rouages — découlant d'un
partage complexe du pouvoir entre les élites économiques et les autorités militaires et du renseignement
— ne peuvent être démontés par la simple formulation d'un nouveau paradigme, l'invocation d'un monde
« plus juste » ou la présentation de requêtes ou de
pétitions aux dirigeants politiques du G7 qui sont, eux-
mêmes, les laquais du Nouvel Ordre mondial.

Pour provoquer un changement significatif, c'est
la balance du pouvoir au sein de la société qu'il faut
modifier.

L'épine dorsale du système est la militarisation qui
soutient à son tour le système de marché capitaliste et
le renforce. On ne peut désarmer la « poigne invisible »
du « libre marché » sans démanteler en même temps
l'appareil militaire et du renseignement qui lui sert
d'appui. Il faut fermer les bases militaires, démonter
la machine de guerre, y compris la production de systèmes d'armement.

Afin de désarmer le Nouvel Ordre mondial, il faudra aussi transformer les structures de la propriété, c'est-à-dire retirer le pouvoir que détiennent les banques, les institutions financières et les sociétés transnationales, de même que remettre à neuf l'appareil de l'État. Voilà des questions complexes qu'il faudra débattre et analyser en profondeur dans les prochaines années.

En cette matière, la priorité de tout premier ordre sera de stopper net la privatisation des biens collectifs, des infrastructures, des services publics comme l'eau et l'électricité, des institutions gouvernementales comme les hôpitaux et les écoles, des terres publiques, des ressources naturelles, du patrimoine culturel, etc.

Néanmoins, il faut savoir que ce processus — qui exige lui-même un débat approfondi sur les véritables solutions politiques de rechange — ne pourra être enclenché tant que les mensonges qui fournissent leur « légitimité » à la guerre et à la mondialisation n'auront pas été révélés au grand jour et compris par tous.

La lutte exige de rompre cette légitimité du système et celle de ceux qui gouvernent en notre nom. Les politiciens qui sont des criminels de guerre doivent être remplacés. Le système judiciaire doit être transformé. Le système bancaire doit être révisé, et ainsi de suite. Mais rien de tout cela ne sera possible tant que les citoyens suivront aveuglément le programme politique néolibéral.

La légitimité du Nouvel Ordre mondial doit être démontée.

Le rituel du sommet parallèle

Au point où nous en sommes, les mouvements sociaux sont en désarroi. Les chefs syndicaux et la classe politique de gauche ont été cooptés.

Devant cette toile de fond, le mouvement antimondialisation paraît s'être fondu autour des « contre-sommets » ou « sommets du peuple » organisés en parallèle avec les événements « officiels » (G7, institutions de Bretton Woods, Forum économique mondial, etc.).

Ces manifestations internationales — qui attirent des militants de partout dans le monde — sont souvent dominées par une poignée d'intellectuels et d'organisateurs de la société civile qui en fixent l'ordre du jour. Les mêmes personnalités se promènent d'un événement international à un autre, et ces derniers, au fil des ans, sont devenus lourdement ritualisés.

Le financement de la dissidence

Qui plus est, ces conférences et *teach-ins* internationaux sont souvent financés par des subventions gouvernementales et des dons provenant de grandes fondations privées (Ford Foundation, MacArthur Foundation, etc.).

Dans ce contexte, le « financement de la dissidence » joue un rôle clé. Il circonscrit essentiellement les frontières de la contestation. Autrement dit, on ne peut pas vraiment remettre en question la légitimité des gouvernements et du grand capital et s'attendre à ce que ceux-ci en paient la note. Les organisations en cause pourront donc critiquer le système, mais sans remettre en question leur gouvernement ou leurs commanditaires privés. Il ne faut donc pas s'attendre à ce qu'elles prennent en charge la mise sur pied d'un mouvement de masse significatif.

En cours de processus, bon nombre de ces organisations sont devenues des « lobbyistes », souvent financés par des gouvernements ou des organisations intergouvernementales. Revendications, pétitions et déclarations sont formulées sans grand effet, en particulier en ce qui concerne des questions relatives à l'annulation des dettes des pays du tiers-monde ou les réformes macroéconomiques.

Autrement dit, l'organisation de sommets parallèles internationaux ne peut pas constituer la base de cette lutte. Pour parvenir à « désarmer l'Empire américain », nous devons passer à un niveau supérieur et lancer des mouvements de masse dans nos pays respectifs, des mouvements de base — intégrés à l'échelle nationale et internationale — pour révéler la face cachée du Nouvel Ordre mondial, des mouvements qui exposent ce que le mondialisation et la militarisation apportent aux simples citoyens. Ce sont les forces populaires qu'il faut mobiliser en vue de contester ceux qui menacent notre avenir collectif.

Les organisations populaires comme les syndicats et les ONG, dont les dirigeants ont manifestement été cooptés, doivent être « démocratisées », et la base doit se les réapproprier. Autrement dit, elles doivent être reconstruites de l'intérieur.

Il faut que pareil processus se déroule dans tous les secteurs du syndicalisme (travailleurs industriels, agriculteurs, enseignants, fonctionnaires, membres des professions libérales, etc.), de manière à transformer les confédérations nationales et internationales. C'est-à-dire qu'au sein de ces diverses organisations, la hiérarchie doit être démocratisée en même temps qu'on met en place un programme de lutte et de résistance contre la guerre et la mondialisation.

D'autres secteurs de la société, comme les petites et moyennes entreprises de même que les producteurs indépendants, dont l'existence se trouve également menacée par la mondialisation, doivent aussi s'attaquer à ces questions au sein de leurs organisations respectives.

La démocratisation en marche doit aussi se faire au sein des forces policières, militaires, du renseignement et de la sécurité en vue de désarmer l'appareil répressif de l'État.

Les organisations populaires de base

Il importe en même temps que se constitue dans chacun de nos pays un puissant réseau de conseils à l'échelle locale, c'est-à-dire dans les quartiers de chaque localité, les milieux de travail, les écoles, les universités, etc., de manière à y inclure des millions de citoyens. Ces réseaux nationaux seraient ensuite intégrés dans un vaste mouvement international.

La toute première priorité de ces conseils populaires serait d'abolir la légitimité du système mondial, par l'information, l'éducation et la sensibilisation de la population en ce qui a trait à la nature du Nouvel Ordre mondial — par exemple, en révélant les faussetés et les mensonges des médias, en prenant fermement position contre la prétendue «guerre au terrorisme», en établissant des liens entre mondialisation et militarisation, en débattant des effets concrets des réformes macroéconomiques, etc.

Les conseils et leurs réseaux respectifs agissant à l'échelle nationale et internationale deviendraient de plus en plus politisés et constitueraient la base de la résistance organisée et de la transformation. Ces conseils pourraient, à leur tour, évoluer en fonction des circonstances en un système de gouvernement parallèle de fait.

La lutte doit être généralisée et démocratique, englober tous les secteurs de la société à tous les niveaux, se livrer dans tous les pays et unir dans un immense élan les travailleurs, agriculteurs, producteurs indépendants, petits entrepreneurs, professionnels, artistes, fonctionnaires, membres du clergé, étudiants et intellectuels.

Les coalitions contre la guerre, contre la mondialisation, environnementalistes, de défense des droits civils et contre le racisme devront s'unir. Les groupes de soutien à une seule cause ou à un seul secteur devront se joindre les uns aux autres afin de comprendre combien le Nouvel Ordre mondial menace sur cette planète notre avenir collectif.

La lutte mondiale dirigée contre l'Empire américain est fondamentale et exige un degré de solidarité et d'internationalisme sans précédent dans l'histoire.

Le système économique mondial s'alimente à même la division sociale à l'intérieur des pays et entre eux. Il est crucial d'en arriver à une unité d'objectifs et à une coordination mondiale des divers groupes et mouvements sociaux. Un vaste élan doit venir rassembler les mouvements sociaux de toutes les grandes régions du monde afin qu'ensemble ils travaillent à l'élimination de la pauvreté et à l'établissement d'une paix durable dans le monde.

Notes

1. Christopher Bollyn, « In the Name of Security, Thousands Denied Constitutional Rights », *American Free Press*, 29 novembre 2001.

2. 2002 World Economic Forum, <www.weforum.org/>.

3. Propos tenus par Ed Mayo, directeur de la New Economics Foundation lors du Forum économique mondial de 2002 à New York : <www.weforum.org/>, février 2002.

4. Edward Herman et David Peterson, « Who Terrorizes Whom », *Global Outlook*, vol. 1, n° 1, printemps 2002, p. 47.

5. Déclaration faite le 14 septembre 2001, <www.aflcio.org/publ/press2001/pr0916.htm>.

« Bush savait » : le chaînon manquant du 11 septembre

LE 16 MAI 2002, une bombe est lancée dans le *New York Post* : « Bush savait... » En quête de capital politique, les démocrates prennent le train en marche et pressent la Maison-Blanche de faire la lumière sur « deux documents très secrets » dont le président Bush aurait été saisi avant le 11 septembre et qui l'auraient informé à l'avance des attentats d'al-Qaïda. Les médias américains entonnent en chœur la même rengaine : « Il y avait des avertissements », des « tuyaux » ont été fournis quant à la possibilité d'attentats terroristes, mais « le président ne pouvait absolument pas savoir » ce qui allait se produire.

Les démocrates conviennent de ne pas faire sortir le chat du sac en déclarant que « Oussama est en guerre contre les États-Unis », que le Federal Bureau of Investigation (FBI) et la Central Intelligence Agency (CIA) savaient que quelque chose se préparait mais

« n'ont pas pu établir les liens nécessaires ». À la Chambre, le leader de la minorité démocrate, Richard Gephardt, affirme que : « Il ne s'agit pas de blâmer qui que ce soit [...] Nous soutenons le président dans la guerre au terrorisme et nous continuerons à le faire. Mais il faut parvenir à empêcher les attentats terroristes[1]. »

Le projecteur que les médias ont braqué sur la dite « préconnaissance » et les supposées « lacunes du FBI » a servi à détourner l'attention publique d'une question plus fondamentale, celle du mensonge politique. On s'est bien gardé de mentionner le rôle de la CIA qui, depuis la fin de la guerre froide, a soutenu et encouragé le réseau al-Qaïda d'Oussama ben Laden dans le cadre de ses opérations clandestines. (Voir le Chapitre II.)

Évidemment qu'on était au courant ! Cette question de la « préconnaissance » est un faux-fuyant. Les « brigades islamiques » sont une création de la CIA. Dans le jargon de l'agence, al-Qaïda constitue un « instrument du renseignement ». (Voir le Chapitre IV.)

La CIA suit à la trace ses « instruments ». Elle a toujours été au fait des allées et venues, amplement documentées, d'Oussama ben Laden[2]. Le réseau al-Qaïda est infiltré par la CIA[3]. Autrement dit, il n'y a pas eu de lacunes en matière de renseignement ! En raison de la nature même d'une opération de renseignement bien montée, un « instrument » dispose (sciemment ou non) d'une certaine autonomie à l'égard des services de renseignements qui l'ont créé, mais, en définitive, il agit toujours conformément aux intérêts de l'Oncle Sam.

Alors que les agents du FBI ne sont pas toujours conscients du rôle de la CIA, les hauts responsables sont très au fait des liens qui unissent la CIA et al-Qaïda. Les membres de l'administration Bush et du Congrès américain connaissent parfaitement bien ces relations. (Voir le Chapitre IV.)

La question de la « préconnaissance » qui met l'accent sur les « lacunes du FBI » est évidemment un écran de fumée. Tandis que les dénonciateurs font ressortir les faiblesses du FBI, le rôle que les gouvernements successifs ont exercé (depuis la présidence de Jimmy Carter) afin de soutenir la « base militante islamique » est simplement passé sous silence.

Une campagne de peur et de désinformation

L'administration Bush a préféré — par une intervention personnelle du vice-président Dick Cheney — non seulement de rejeter toute possibilité d'une enquête publique mais encore de déclencher une campagne de peur et de désinformation :

> La perspective d'un nouvel attentat contre les États-Unis m'apparaît presque comme une certitude [...] Il pourrait se produire demain, la semaine prochaine, l'an prochain, mais ils vont s'y essayer. Et nous devons nous y préparer[4].

Ce que Cheney veut vraiment dire, c'est que l'« instrument du renseignement » qu'ils ont créé va frapper de nouveau. Or, si cette « créature » de la CIA trame présentement de nouveaux attentats terroristes, on peut s'attendre à ce que la CIA en soit la première informée. Il est fort probable que la CIA contrôle également les prétendus « avertissements » relatifs à de « futurs attentats terroristes » en sol américain, qui émanent des sources de la CIA.

Le chaînon manquant

Dans une entrevue accordée à *ABC News* vers la fin du mois de septembre (et passée à peu près inaperçue), le FBI a confirmé que le chef de file des attentats du 11 septembre, Mohammed Atta, avait été financé par des sources non identifiées du Pakistan. (Voir le Chapitre III.) Le FBI était déjà sur la piste de l'argent. Il savait pertinemment qui finançait les terroristes. Une quinzaine de jours plus tard, les conclusions du FBI étaient confirmées par l'Agence France-Presse et le *Times of India* qui faisaient référence à un compte rendu de renseignement indien officiel (transmis à Washington). Selon les deux articles en question, l'argent ayant servi à financer les attentats du 11 septembre fut « transféré par voie électronique du Pakistan au pirate du World Trade Centre, Mohammed Atta, par Ahmad Umar Sheikh à l'instigation du général Mahmoud Ahmad [chef des Services de renseignements militaires du Pakistan (ISI)] [5] ».

L'espion en chef du Pakistan en visite à Washington

Tel que nous l'avons souligné au Chapitre III, le général Mahmoud Ahmad, présumé bailleur de fonds des terroristes du 11 septembre, se trouvait aux États-Unis au moment des attentats. Il y était depuis une semaine, arrivé le 4 septembre pour une tournée dite de consultations avec ses homologues américains. Selon le journaliste pakistanais Amir Mateen (dans un article à l'accent prophétique paru le 10 septembre) :

> La visite d'une semaine à Washington du chef de l'ISI, le lieutenant général Mahmoud, suscite de la spéculation quant à l'ordre du jour de ses mystérieux entretiens au Pentagone et au Conseil national de sécurité. Officiellement, il effectue une visite de routine après celle que le directeur de la CIA, George Tenet, a faite à Islamabad. On apprend de source officielle qu'il a rencontré Tenet cette semaine [4-9 septembre]. Il s'est aussi longuement entretenu avec des responsables non identifiés de la Maison-Blanche et du Pentagone. Mais sa rencontre la plus importante a été avec Marc Grossman, sous-secrétaire d'État américain aux Affaires politiques. On peut facilement supposer que la discussion a surtout porté sur l'Afghanistan [...] et Oussama ben Laden. Cette visite revêt un caractère significatif en raison du contexte des visites précédentes. La dernière fois que le prédécesseur de Mahmoud, Ziauddin Butt, est venu ici, sous le gouvernement de Nawaz Sharif, il a suffi de quelques jours pour tout chambouler la politique intérieure[6].

Nawaz Sharif fut renversé par le général Pervez Musharraf. Le général Mahmoud Ahmad, qui a ensuite pris la tête de l'ISI, a joué un rôle clé dans le coup d'État militaire.

Conférence de presse de Condoleezza Rice

Au cours de la conférence de presse de Condoleezza Rice tenue le 16 mai (quelques heures à peine après la parution du *New York Post* annonçant en manchette que « Bush savait »), un journaliste indien accrédité a posé une question sur le rôle du général Mahmoud Ahmad :

> Q : Madame Rice ?
>
> Mme Rice : Oui ?
>
> Q : Êtes-vous au courant du compte rendu voulant qu'au moment où le chef de l'ISI était à Washington le 11 septembre, 100 000 $ ont été télégraphiés du Pakistan le 10 septembre à ces groupes qui se trouvaient ici dans cette région ? Et pourquoi est-il venu ici ? S'est-il entretenu avec vous ou quelqu'un de l'administration ?
>
> Mme Rice : Je n'ai pas vu ce compte rendu et il ne s'est certainement pas entretenu avec moi [...] [7]

Bien qu'il n'y ait pas de confirmation officielle d'une rencontre entre le général Mahmoud Ahmad et Mme Rice, celle-ci a dû être parfaitement au courant du virement de 100 000 $ à Mohammed Atta, confirmé par le FBI.

Perdu dans le battage médiatique sur la « préconnaissance », ce document crucial quant au rôle de l'ISI dans les attentats du 11 septembre implique des hauts responsables de l'administration Bush qui avaient rencontré le général Mahmoud à Washington lors de sa visite officielle, dont le directeur de la CIA George

Tenet, le secrétaire d'État Colin Powell, le secrétaire d'État adjoint Richard Armitage, le sous-secrétaire d'État Marc Grossman, de même que le sénateur démocrate Sam Biden, président du puissant Comité sénatorial des relations étrangères (qui a reçu le général Ahmad le 13 septembre). « Selon Biden, [Ahmad] a promis la coopération du Pakistan[8]. »

Un mystérieux petit déjeuner au Capitole le matin du 11 septembre

Le 11 septembre au matin, le bailleur de fonds présumé des terroristes du 11 septembre, le général Mahmoud Ahmad, participait à un petit déjeuner de travail offert par le sénateur démocrate Bob Graham et le représentant républicain Porter Goss, respectivement présidents du Comité du renseignement au Sénat et à la Chambre des représentants. L'ambassadrice du Pakistan aux États-Unis, Maleeha Lodhi, était aussi présente. Le compte rendu de presse signale également la présence d'autres membres du Comité sénatorial du renseignement et de son pendant à la Chambre :

> Quand la nouvelle [des attentats contre le World Trade Centre] a éclaté, les deux législateurs de la Floride qui dirigent les comités du renseignement au Sénat et à la Chambre prenaient le petit déjeuner avec le chef des services secrets pakistanais. Le représentant Porter Goss, le sénateur Bob Graham et d'autres membres du Comité du renseignement de la Chambre discutaient de terrorisme avec le porte-parole pakistanais lorsqu'un collaborateur de Goss a tendu une note à ce dernier qui l'a remise à

Graham. « Nous discutions de terrorisme, plus précisément du terrorisme émanant de l'Afghanistan », affirme Graham.

Mahmoud Ahmad, directeur général du service des renseignements du Pakistan, s'est montré « très empathique et a manifesté de la sympathie envers la population américaine », de l'avis de Graham.

Goss est ensuite disparu de la circulation ce mardi, ayant été emmené en « lieu sûr » avec une bonne partie des dirigeants de la Chambre. Graham, par contre, a participé en fin d'après-midi à des réunions avec des hauts fonctionnaires de la CIA et du FBI[9].

Tout en minimisant l'importance du petit déjeuner de travail du 11 septembre, le *Miami Herald* confirme (le 16 septembre 2001) que le général Ahmad s'était également entretenu avec le secrétaire d'État Colin Powell au lendemain des attentats :

Selon Graham, le responsable des services secrets pakistanais [...] a dû passer toute la semaine à Washington parce que le trafic aérien était interdit. « Comme il était bloqué ici, je crois que cela a permis au secrétaire d'État Powell et à d'autres membres de l'Administration de s'entretenir sérieusement avec lui[10]. »

À l'exception de la presse de Floride (et de Salon.com, le 14 septembre), les médias américains n'ont absolument rien dit au sujet de ce mystérieux petit déjeuner de travail dans leurs reportages du mois de septembre concernant les attentats.

Encadré 10.1

De sources officielles (citées dans les médias), l'espion en chef du Pakistan, le général Mahmoud Ahmad, a rencontré les membres suivants de l'administration Bush et du Congrès américain au cours de sa visite à Washington.

Du 4 au 13 septembre, la date de la rencontre étant indiquée entre parenthèses :

- Le secrétaire d'État Colin Powell
  (12 ou 13 septembre)
- Le secrétaire d'État adjoint Richard Armitage
  (12 et 13 septembre)
- Le sous-secrétaire d'État Marc Grossman
  (avant le 11 septembre)
- Le directeur de la CIA George Tenet
  (avant le 11 septembre)
- Le sénateur Bob Graham, président du Comité du renseignement du Sénat (11 septembre)
- Le sénateur John Kyl, membre du Comité du renseignement du Sénat (11 septembre)
- Le représentant Porter Goss, président du Comité du renseignement de la Chambre (11 septembre)
- Le sénateur Joseph Biden, président du Comité des relations étrangères (13 septembre)

Huit mois plus tard, le 18 mai 2002, soit le surlendemain de la fameuse manchette affirmant que « Bush savait » et qui s'est répandue comme une traînée de poudre dans toute la presse américaine, le *Washington Post* publiait un article sur le représentant Porter Goss. Axé sur sa carrière d'agent de la CIA, le texte souligne à grands traits l'intégrité de Porter Goss et sa résolution à « lutter contre le terrorisme ». Néanmoins, un paragraphe isolé mentionne le mystérieux petit déjeuner de travail du 11 septembre avec le chef de l'ISI, Mahmoud Ahmad, et confirme que celui-ci « dirige un service secret ayant des liens étroits avec Oussama ben Laden et les talibans » :

> La grande question que Goss devra aborder au cours de l'enquête conjointe de la Chambre et du Sénat sur les attentats du 11 septembre, dont il est l'un des présidents, est celle de savoir pourquoi personne au sein de l'énorme bureaucratie du renseignement — 13 organismes qui coûtent des milliards de dollars — ne s'est préoccupé de l'ennemi qui se trouvait parmi nous. Jusqu'à ce qu'il soit trop tard.

> Goss dit qu'il est en quête de solutions et non de boucs émissaires. Il qualifie d'« absurde » l'idée qui a fait tant de bruit cette semaine à propos de la CIA qui aurait présumément informé le président Bush cinq semaines avant le 11 septembre que des membres du réseau de ben Laden projetaient des détournements d'avion.

> « Il n'y a rien de nouveau là-dedans ; tout ce qu'ils veulent c'est de trouver des coupables », s'est

exclamé Goss hier, dans un rare accès de colère.
« C'est stupide. » [Cela dit par un homme qui prenait son petit déjeuner avec le présumé bailleur de
fonds des attentats du 11 septembre, le matin même
des attentats.]

[…]

Goss refuse absolument de jeter le blâme des attentats terroristes sur des « lacunes du renseignement ».
À titre de vétéran de la CIA qui a passé 10 années
dans la filière des opérations clandestines, Goss pré-
fère louer le « bon travail » de l'agence.

[…]

Le matin du 11 septembre, Goss et Graham dé-
jeunaient avec un certain général pakistanais,
Mahmoud Ahmad, qui devait peu de temps après
être limogé à la tête des services secrets du Pakistan.
Ahmad dirigeait un organisme qui entretenait des
liens avec Oussama ben Laden et les talibans[11].

Alors que le *Washington Post* reconnaît l'existence
de liens entre le chef de l'ISI, Mahmoud Ahmad, et le
réseau al-Qaïda, il passe sous silence la question plus
fondamentale : *que faisaient le représentant Porter
Goss, le sénateur Bob Graham et d'autres membres
des comités du renseignement du Sénat et de la
Chambre en compagnie du bailleur de fonds présumé
des terroristes du 11 septembre, le général Mahmoud
Ahmad, au Capitole le matin du 11 septembre ?*
Aucune allusion non plus au fait, confirmé par les
communiqués officiels, que le général Ahmad avait

été mandaté par le gouvernement pakistanais pour discuter des conditions précises de la « coopération » du Pakistan à la « guerre au terrorisme » lors des rencontres des 12 et 13 septembre au département d'État.

Lorsque la rumeur de la « préconnaissance » s'est mise à courir le 16 mai, « le président du comité, Porter Goss, a déclaré qu'une enquête du Congrès n'a pas encore trouvé de preuve tangible qui nécessiterait une nouvelle enquête [12] ». Cette position ressemble fort à du camouflage.

Enquête et audiences publiques sur les « lacunes du renseignement »

Il est assez ironique de penser que le représentant Porter Goss et le sénateur Bob Graham — hôtes du mystérieux petit déjeuner de travail du 11 septembre avec le présumé « architecte » des attentats, pour reprendre l'expression du FBI — avaient été chargés de l'enquête et des audiences publiques sur les « lacunes du renseignement ».

Entre-temps, le vice-président Dick Cheney s'est dit outré de la « fuite » émanant des comités du renseignement à propos de la « révélation de l'interception par l'Agence de sécurité nationale de messages en arabe la veille des attentats. Ces messages [...] provenaient de deux conversations distinctes tenues le 10 septembre et renfermaient les mots " L'heure H est pour demain " et " La partie est sur le point de commencer ". Les messages n'ont été traduits que le 12 septembre [13]. »

Tapis rouge pour le présumé bailleur de fonds du 11 septembre

Non seulement l'administration Bush a déroulé le tapis rouge pour le présumé bailleur de fonds des attentats du 11 septembre, mais elle a en plus sollicité sa « coopération » dans le cadre de la « guerre au terrorisme ».

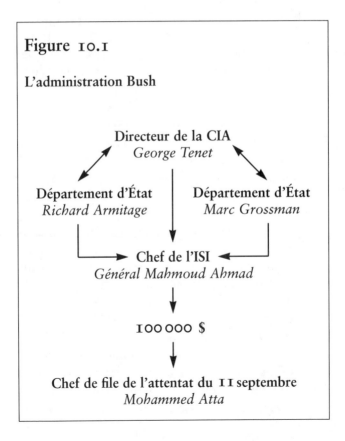

Figure 10.1

L'administration Bush

Directeur de la CIA
George Tenet

Département d'État
Richard Armitage

Département d'État
Marc Grossman

Chef de l'ISI
Général Mahmoud Ahmad

100 000 $

Chef de file de l'attentat du 11 septembre
Mohammed Atta

Les dispositions de cette « coopération » ont été arrêtées entre le général Mahmoud Ahmad, représentant le gouvernement pakistanais, et le sous-secrétaire d'État Richard Armitage lors de réunions tenues au département d'État les 12 et 13 septembre. (Voir le Chapitre III.) Autrement dit, l'Administration avait décidé dans la foulée immédiate du 11 septembre de rechercher la « coopération » de l'ISI pakistanais en vue de « traquer Oussama », malgré le fait (documenté par le FBI) que l'ISI avait financé et soutenu les terroristes du 11 septembre. Contradictoire ? C'est un peu comme si l'on demandait au diable de participer à une campagne contre Dracula.

La CIA porte ombrage à la présidence

Les propos de Mme Rice touchant le chef de l'ISI lors de sa conférence de presse du 16 mai constituent un camouflage. Au moment où le général Ahmad s'entretenait avec des hauts responsables de la CIA et du Pentagone, il aurait également été en contact (par l'entremise d'un tiers) avec les terroristes du 11 septembre. Cela laisse entendre que des personnalités clés des milieux militaires et du renseignement des États-Unis étaient au courant de ces contacts de l'ISI avec le chef de file des attentats du 11 septembre, Mohammed Atta. Cette conclusion n'est que « la pointe de l'iceberg ». Tout indique que le directeur de la CIA, George Tenet, et le chef de l'ISI, le général Mahmoud Ahmad, se connaissaient et avaient établi d'étroites relations de travail. Le général était arrivé une semaine avant le 11 septembre pour des consultations avec George Tenet.

Rappelons également que le directeur de la CIA entretient des relations étroites avec le président Bush. Avant le 11 septembre, Tenet avait l'habitude de rencontrer le président pour une demi-heure, tous les jours, six jours par semaine, à huit heures tapant[14]. Au quartier général de la CIA à Langley, les analystes de la CIA mettaient au point des notes destinées au président. Tenet emportait ce document chez lui le soir. Il le révisait et en communiquait verbalement le contenu au président à leur réunion matinale du lendemain[15]. Ce *briefing* oral est une nouvelle manière de faire. Les prédécesseurs de Bush à la Maison-Blanche recevaient plutôt des notes écrites de la CIA : « Entre Bush, qui apprécie les *briefings* faits de vive voix, et le directeur de la CIA, un rapport personnel étroit entre les deux hommes s'est forgé[16]. »

La décision d'entrer en guerre

Lors des séances du Conseil national de sécurité et du « cabinet de guerre » tenues les 11, 12 et 13 septembre, le directeur de la CIA, George Tenet, a joué un rôle crucial afin de faire approuver par le commandant en chef le lancement de la « guerre au terrorisme ». Cette décision d'entrer en guerre fut prise dans le cadre du programme d'activités de George W. Bush le 11 septembre de 9 h 45 le matin jusqu'à minuit.

Vers 9 h 45, le cortège motorisé de Bush quitte l'école primaire Booker de Sarasota, en Floride.
À 9 h 55, le président monte à bord de *Air Force One* en direction de Washington[17]. À la suite d'une

« fausse alerte » selon laquelle l'appareil pourrait être l'objet d'une attaque, le vice-président Dick Cheney exhorte Bush par téléphone (10 h 32) de ne pas atterrir à Washington. Après cette conversation, l'avion est (selon un ordre émanant de Washington) détourné (10 h 41) vers la base aérienne de Barksdale en Louisiane. Quelques heures plus tard (13 h 30), après une brève apparition à la télévision, le président est transporté à la base aérienne Offut du Nebraska, quartier général du Commandement stratégique des États-Unis.

À 15 h 30, une réunion cruciale du Conseil national de sécurité est convoquée au cours de laquelle les membres du Conseil communiquent avec le président par vidéoconférence de Washington[18]. Durant cette vidéoconférence, le directeur de la CIA, George Tenet, transmet au président des renseignements non confirmés. Tenet se dit « à peu près certain que ben Laden et son réseau sont à l'origine des attentats[19] ». Le président réagit à ces nouvelles de manière tout à fait spontanée, improvisée, avec à peu près aucune discussion et, apparemment, sans en saisir toutes les implications. Au cours de la vidéoconférence (de moins d'une heure), le Conseil reçoit du commandant en chef le mandat de préparer la « guerre contre le terrorisme ». Sous l'impulsion du moment, le feu vert est donné par vidéoconférence à partir du Nebraska. « Nous allons trouver ces gens, a dit le président Bush. Et, croyez-moi, ils vont payer cher[20]. »

À 16 h 36 (une heure et six minutes plus tard...) *Air Force One* décolle en direction de Washington. De retour à la Maison-Blanche, une deuxième réunion du Conseil a lieu dans la soirée (21 h), en compagnie du secrétaire d'État Colin Powell qui était revenu du Pérou le jour même. La réunion du Conseil (qui a duré une demi-heure) fut suivie par la première réunion du « cabinet de guerre », composé d'un groupe restreint de hauts responsables et de conseillers de premier plan.

À 21 h 30, au cabinet de guerre, « on cherche à savoir si le réseau al-Qaïda de ben Laden et les talibans forment une seule et même entité. Tenet affirme que oui[21]. » À l'issue de cette réunion historique du cabinet de guerre (à 23 h), l'administration Bush prenait la décision d'entreprendre une aventure militaire qui menace notre avenir collectif.

Est-ce que Bush savait ?

Avec sa compréhension rudimentaire de la politique étrangère, Bush était-il au courant de tous les détails concernant le général Mahmoud et la « filière de l'ISI » ? Tenet et Cheney auraient-ils déformé les faits pour que le commandant en chef acquiesce à une opération militaire qui était en préparation ? Ironiquement, une rencontre entre le sous-secrétaire d'État Richard Armitage et le général Mahmoud, bailleur de fonds présumé des attentats du 11 septembre, était prévue pour le 12 septembre au matin...

Notes

1. Cité par l'Agence France-Presse (AFP), 18 mai 2002.

2. Voir « Bin Laden Whereabouts Before 9-11 », CBS Evening News avec Dan Rather; CBS, 28 janvier 2002, Centre de recherche sur la mondialisation (CRM), <www.global research.ca/articles/CBS203A.html>; A. Richard, « La CIA aurait rencontré Ben Laden en juillet dernier à Dubaï pendant qu'il se faisait soigner à l'Hôpital américain », *Le Figaro*, 31 octobre 2001, <www.globalresearch.ca/articles/ RIC111B>.

3. *The Boston Globe*, 5 juin 2002.

4. *Fox News*, 18 mai 2002.

5. *The Times of India*, Delhi, 9 octobre 2001. Agence France-Presse (AFP), 10 octobre 2001.

6. Amir Mateen, « ISI Chief's Parleys Continue in Washington », *The News* (Pakistan), 10 septembre 2001.

7. Federal News Services, 16 mai 2002. À signaler que dans leurs transcriptions de la conférence de presse de Mme Rice, la Maison-Blanche a laissé les mots « chef de l'ISI » en blanc (rendus par un tiret) et CNN les a remplacés par la mention « inaudible ». Federal News Service Inc., service de transcription de documents officiels, a fourni une transcription exacte à l'exception d'une erreur de ponctuation que nous avons corrigée. La transcription de la Maison-Blanche est présentée à l'adresse suivante : <www.whitehouse.gov/news/ releases/2002/05/20020516-13.html>. L'auteur a vérifié les trois transcriptions qui sont disponibles sur Nexis : <LexisNexis.com>. Les documents de Federal News Services sont aussi disponibles moyennant des frais à cette adresse : <www.fnsg.com/>. Pour confirmer que les transcriptions de CNN et de la Maison-Blanche ont été manipulées, vous

pouvez écouter l'audiovidéo original de la conférence de Mme Rice à l'adresse suivante: <www.whitehouse.gov/news/releases/2002/05/20020516-13.v.smil>.

8. *New York Times*, 14 septembre 2001.

9. Stuart News Company Press Journal, Vero Beach (FL), 12 septembre 2001.

10. *Miami Herald*, 16 septembre 2001.

11. *Washington Post*, 18 mai 2002.

12. *White House Bulletin*, 17 mai 2002.

13. *Miami Herald*, 21 juin 2002.

14. *The Commercial Appeal*, Memphis, 17 mai 2002.

15. *Washington Post*, 17 mai 2002.

16. *Washington Post*, 29 janvier 2002.

17. *Washington Post*, 27 janvier 2002.

18. *Ibid.*

19. *Ibid.*

20. *Ibid.*

21. *Ibid.*

De notre catalogue

La mondialisation de la pauvreté

MICHEL CHOSSUDOVSKY

Depuis le début des années 1980, les structures de l'économie mondiale ont changé en profondeur. L'auteur explique comment les institutions financières internationales, et en particulier le Fonds monétaire international (FMI) et la Banque mondiale, ont forcé l'application de ces changements d'abord dans le tiers-monde, puis plus récemment dans les pays de l'Est de l'Europe. Il montre les conséquences d'un nouvel ordre financier qui se nourrit de la pauvreté et de la destruction de l'environnement, engendre un véritable apartheid social, encourage le racisme et les conflits ethniques et s'attaque aux droits des femmes.

Après avoir exposé en détail les mécanismes de mise en place de l'économie globale, l'auteur procède à une série d'analyses de cas précis en Afrique, en Asie, en Amérique latine, en ex-Union soviétique et en ex-Yougoslavie.

ISBN 2-921561-37-9
400 pages
24,95 $

Les gros raflent la mise

STEVEN GORELICK

La phénoménale croissance des entreprises transnationales dans une économie de plus en plus mondialisée n'est pas le fruit d'un processus inévitable. Il s'agit plutôt d'un phénomène social, historique, qui résulte notamment de choix politiques faits au nom de la population par les gouvernements. Cette course à l'expansion infinie est généreusement financée par l'État : les élites sont convaincues que tout ce qui est gros et grand s'avère bon marché, efficace, meilleur et profitable pour tous. Et si ce n'était pas le cas ?

Steven Gorelick expose ici à qui et à quoi profitent les fonds publics. Sans une kyrielle de subventions directes et indirectes dans les domaines de l'énergie, des transports, des communications et de l'éducation, les transnationales ne seraient pas devenues ce qu'elles sont.

L'auteur propose des solutions de rechange en vue de revoir nos modes de vie et le fonctionnement du monde.

ISBN 2-921561-64-6
213 pages
18,00 $

Le pouvoir mis à nu

NOAM CHOMSKY

Les États-Unis seraient engagés dans un processus historique visant l'émergence, à l'échelle mondiale, d'« une société tolérante, dans laquelle dirigeants et gouvernements existent non pas pour exploiter la population ou abuser d'elle, mais pour lui fournir liberté et perspectives ». Pourtant, de nombreux documents révèlent que la superpuissance agit de façon à détruire la démocratie et à miner les droits de la personne, et ce, avec une certaine cohé-rence, les prétextes invoqués variant d'une époque à l'autre selon les nécessités doctrinales du moment. « C'est nous qui avons le dernier mot », disait George Bush père.

Noam Chomsky illustre brillamment la véritable nature et l'étendue du pouvoir impérial américain. Ce livre a aussi le mérite d'offir un tour d'horizon de sa pensée, exposant ses idéaux politiques et ses vues sur la nature, l'esprit et le langage.

ISBN 2-921561-61-1
400 pages
30,00 $

La globalisation du monde

JACQUES B. GÉLINAS

La globalisation, nouvelle religion du monde des affaires et des élites politiques, suscite des questionnements et des oppositions qui, depuis Seattle, ne cessent de s'intensifier. Ce livre arrive à point pour expliquer non seulement la globalisation de l'économie, mais le monde globalisé.

D'entrée de jeu, l'auteur établit une nette distinction entre la mondialisation et la globalisation, qu'il définit comme « la gouverne du monde par de puissants intérêts économiques transnationaux et supraétatiques ». Il décrit ce système, ses dirigeants, ses commis, ses idéologues et dénonce ses effets les plus pervers, dont la dégradation de l'environnement, la montée des inégalités et le pourrissement de la démocratie. Au-delà de cet affligeant bilan, l'auteur explore les contours d'un modèle alternatif qui se profile au sein même du présent système.

ISBN 2-921561-44-1
340 pages
24,95 $

L'imposture néolibérale

J.-CLAUDE ST-ONGE

Depuis le tournant de 1975, à part la pauvreté et le chômage galopants, seuls les profits fracassent tous les records. L'« horreur économique » porte un nom : le néolibéralisme. Productivité, profit, concurrence, retrait de l'État, déficit zéro, libre-échange, dictature du marché : telle est la nouvelle religion. La solidarité et la justice sociale sont des vieille-ries conceptuelles bonnes à figurer dans un musée.

Dans un ouvrage loin du jargon des spécialistes, J.-Claude St-Onge démonte à un un les dogmes qui entourent cette doctrine selon laquelle la justice se résume à la possession et pour qui la liberté est le privilège d'une minorité toujours plus puissante. L'auteur y décrit ses origines, ses principaux penseurs, ses institutions, démontrant que loin d'être une nouvelle solution aux problèmes modernes, le néolibéralisme récupère à son compte bien des siècles d'histoire.

ISBN 2-921561-50-6
202 pages
16,95 $

Le nouvel humanisme militaire

NOAM CHOMSKY

Le 24 mars 1999, l'OTAN bombardait le Kosovo pour des motifs soi-disant humanitaires : mettre fin à l'épuration ethnique et au flot croissant de réfugiés. Quelles sont les véritables motivations de cette décision, présentée comme incontournable, alors qu'ailleurs, comme au Timor-Oriental et en Turquie, les mêmes atrocités sont perpétrées sous le regard approbateur des grandes puissances ? Cette première guerre menée par l'OTAN redéfinit les fondements mêmes du droit international alors que les « États éclairés » l'interprètent et l'appliquent selon leurs propres intérêts, sans aucune crainte de représailles.

« L'ouvrage [...] développe une argumentation d'une grande efficacité non seulement contre la guerre du Kosovo, mais aussi et surtout contre ce "droit d'intervention" que s'arrogent les puissances les plus riches de la planète. [...] .» *Le Monde diplomatique*

ISBN 2-921561-52-2
336 pages
21,95 $

Nos diffuseurs

en Amérique : *Diffusion Dimédia inc.*
539, boul. Lebeau
Saint-Laurent (Québec)
H4N 1S2

en France : *Diffusion de l'édition québécoise*
30, rue Gay-Lussac
F-75005 Paris

en Belgique : *Éditions Aden*
165, rue de Mérode
B-1060 Bruxelles

LES ÉDITIONS
écosociété
À CONTRE-COURANT

Faites circuler nos livres.

Discutez-en avec d'autres personnes.

Inscrivez-vous à notre Club du livre.

Si vous avez des commentaires, faites-les-nous parvenir ; il nous fera plaisir de les communiquer aux auteurs et à notre comité de rédaction.

Les Éditions Écosociété
C.P. 32052, comptoir Saint-André
Montréal (Québec)
H2L 4Y5

Courriel : ecosoc@cam.org

Toile : www.ecosociete.org